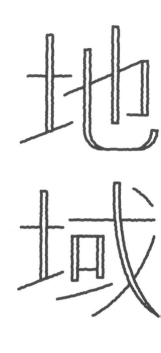

地域新電力

脱炭素で稼ぐまちをつくる方法

稲垣憲治

学芸出版社

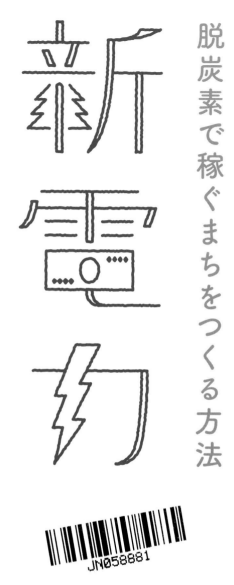

はじめに

2011年3月に発生した東日本大震災と原発事故により、多くの地域がエネルギーを自分事として考えるようになった。国の専管と思われていたエネルギー政策は、震災を機に地域のエネルギーセキュリティをどう担保していくかなど自治体の課題としても認識されたのである。

また、地域エネルギー事業に熱い視線が注がれ、自治体が政策支援を行うようになったのは、地域エネルギー事業が地域に稼ぎをもたらし、地域活性化のための1つの大きな手段となる可能性があるためだ。

東京都における再生可能エネルギー戦略（2006年策定）など、東日本大震災前も自治体による地域エネルギービジョンはあったが、環境先進自治体のみで数は圧倒的に少なく、目的は主に地球温暖化防止対策であった。震災を機に、自治体の地域エネルギー事業に対する関わり方は変化し、地域のレジリエンスや地域活性化の観点が前面に出されるようになった。そして、一般的には条件不利と言われる都市化されていない中山間地域こそが再エネ事業のポテンシャルが大きい点も、地域エネルギー事業の魅力を高めた。

また、ここ数年、世界的な脱炭素の流れを受け、ゼロカーボン宣言をする自治体が急増し、その数は2022年3月末時点で679自治体に上る。脱炭素の面からも地域エネルギー事業の意義が再確認され、自治体の取組の機運は高まっている。地域と共生した地域エネルギー事業の拡大こそが、世界的課題である脱炭素の命運を左右すると言っても過言ではないし、脱炭素によって、ブランディングやレジリエンス向上といった地域メリットも生まれつつある。

地域エネルギー事業は、固定価格買取制度（FIT）制定当時は、太陽光発電の開発が中心だったが、震災後10年が経過し、再生可能エネルギー（以下「再エネ」）開発のみならず、地域で開発された再エネからの電力をその地域に販売する小売電気事業も広がってきた。電力の地産地消を目的に、自治体が出資や協定で関与するケースも多く、このような地域新電力の数は全国で約80社に上る（2022年3月時点）。自治体が、地域新電力を通じて、地域の稼ぎ創出や地域脱炭素化を目指すようになってきたのである。本書は、この地域新電力について、その背景、メリット、リスク、そして可能性について多くの紙面を割いている。

第1章では、再エネ政策と電力システムを中心に国のエネルギー政策の現状を概観する。続いて第2章では、自治体がエネルギー事業に取り組むべき理由を、①地域経済循環、②地域脱炭素、③地域課題の同時解決、④地域ブランディングによる産業誘致、⑤レジリエンス向上の5つの視点で整理するとともに、自治体のエネルギービジョンと具体的施策、注目される自治体の再エネ新施策について事例を紹介する。

第3章では、全国で設立が相次ぐ自治体関与の地域新電力について、74地域新電力の調査結果を踏まえ、現状・課題、そして可能性を検討した。また、特色ある地域新電力の事例を多数紹介し、その意義を整理している。加えて、2021年度に発生した市場高騰など新電力の試練やその対策についても詳解した。

第4章では、主にドイツで自治体施策の効果測定などに使用される「地域付加価値創造分析」を用いて、地域新電力事業がどれだけ地域に「稼ぎ」を生んでいるのか、事例をもとに分析した。どのように事業を経営・運営するかによって、地域の稼ぎが大きく違ってくることを示すとともに、地域のための地域エネルギー事業とするポイントを整理した。最後に補論として、これまでのまちづくり事業の失敗を振り返り、近年注目を集めている特徴的なまちづくり事業である「まちやど」と「地域マーケット」の事例を通じ、地域が稼ぐまちづくり事業について検討した。

さて、「地域新電力　脱炭素で稼ぐまちをつくる方法」という本書の題から、この本を手に取っていただいているのは、既に地域エネルギー事業に携わっておられる方・関心のある方、または稼ぐまちづくり事業のネタ探しの方、自治体職員や金融機関の方だろうか。この書で伝えたいことを先に書いてしまうと、稼ぐ地域をつくるエネルギー事業は、地域人材による実践が不可欠であること、そして、地域でやればできることも多いということである。

地方創生はずっと叫ばれ続け、それに向けてのまちづくり事業の試みが全国で延々と続けられている。地域活性化、地方創生の掛け声の中、これまで多くの予算がつき、全国でまちづくり事業が実施されてきた。一方で、少なくない事業企画がコンサルタントなどに丸投げされ、美しい報告書が納品されるが、実行主体がおらず実行されない、実行されても責任があいまいなどでとん挫してしまうなどの話も多い。国からの地方への補助金が、委託を通じ、結局大都市の大企業に流れてしまっているという指摘もある。地域主体で実施しないと地域の稼ぎがうまれてこないことは徐々に分かり始めている。本書においては、様々な地域事例が出てくるが、どれも地域の担い手が本気になって取り組み、地域に稼ぎを生み出しているという点で共通している。

本書で言う「稼ぐまち」とは、地域人材自ら事業を実践することによって地域に循環するお金を増やし、さらに事業ノウハウを地域で蓄積していくことで、持続的に発展していく地域である。地域の人が担い手にならずに他社に任せしてしまい、地域の稼ぎを生まなかったこれまでのまちづくり事業の失敗を繰り返すことなく、地域に稼ぎを生み出すエネルギー事業が全国に広がることを願ってやまない。

この本をとおし、地域でやってみればできることも多いこと、そして、地域での実践が何より地域の発展に重要だということが共有されれば幸いである。

目次

第4章 地域で稼ぐエネルギー事業に向けて

第１章

国のエネルギー政策の現状

地域エネルギー事業や自治体のエネルギー政策は、国のエネルギー政策の影響を大きく受ける。第1章では、2011年東日本大震災以降の国のエネルギー政策の変遷の概要を整理したい。

1-1 東日本大震災 エネルギー政策を大きく変えた

東日本大震災前の日本では、1970年代のオイルショックを踏まえ、エネルギーを石油に依存することを避けるため、原子力発電、石炭火力発電、LNG火力発電といった石油代替電源の開発が積極的に進められ、電源の多様化が図られていた。供給安定性（Energy security）、環境適合性（Environment）、経済効率性（Economic efficiency）の3Eを政策の基本コンセプトに、これらを満たすため火力・水力・原子力などの発電方式を最適なバランスで組み合わせる、いわゆるベストミックスが追及されたのである。特に、原子力発電は、発電の際に温室効果ガスを排出しないこと、大量の電力を安定して供給できることから、電源構成の大きな柱の1つとされてきた。

震災前の2010年の日本の電力の電源構成[※1-1]を見ると、火力65％、原子力25％、水力が9％と原子力が主力電源の一翼を担っていたことが分かる。

また、2010年に策定されたエネルギー基本計画（民主党政権時）においても原子力の推進は明確で、

「3Eを同時に満たす中長期的な基幹エネルギーとして、安全の確保を大前提に、国民の理解・信頼を得つつ、需要動向を踏まえた新増設の推進・設備利用率の向上などにより、原子力発電を積極的に推進する」と新増設の明記もされていた。

ところが、2011年3月11日の東日本大震災により、東京電力株式会社福島第一原子力発電所の大事故が発生。周辺地域に深刻な被害をもたらし、原子力の安全性に対する信頼は大きく損なわれた。全国の原子力発電は次々に停止され、その代替としてLNG火力などに頼る電源構成となった。

福島第一原発の事故を受け、政府はエネルギー政策のゼロベースでの見直しを迫られた。脱原発依存の流れの中、政府は、2012年7月から固定価格買取制度（FIT）を開始。再エネからの電力について一定期間、一定金額で国が買取を保証する制度を創設した。再エネ発電事業者の事業予見性を高めて事業性を向上させるこの制度は、当時既にドイツ、イタリアといった再エネ導入先進国において実績があり、実際にこれらの国の再エネ導入拡大に大きな役割を果たしていた。

続いて政府は、2012年9月に「革新的エネルギー・環境戦略」を策定。この戦略においては、震災前の原子力の新増設を明記していた方針を転換し、「原発に依存しない社会の一日も早い実現」を掲げるとともに、再エネの大量導入や省エネの徹底などを基本方針とした。

東日本大震災後、最初の改定となった第4次エネルギー基本計画（2014年、自民党政権）では、前述の3E原則に原発事故を踏まえ安全性（Safety）が追加された。その後のエネルギー政策は、安全性（Safety）を大前提のもと、3Eの実現を目指す「3E＋S」となった。この2014年の基本計画における原子力の扱いは、「原発依存度を可能な限り低減する」とされる一方、「原子力規制委員会により世界で最も厳しい水準の規制基準に適合すると認められた場合には、その判断を尊重し原子力発電所の再稼働を進める」と原発の再稼働を進めることが明確化された。

エネルギー基本計画の改訂を受けて2015年7月に発表された「長期エネルギー需給見通し」では、2030年のあるべき姿としてのエネルギーミックスが提示され、電源構成として「再エネ22～24%、原子力22～20%、LNG27%、石炭26%、石油3%」が示された。この際、2015年で既にFIT制度の後押しを受け大量の再エネ（主に太陽光）の導入が進んでいたこと、原発の再稼働が進んでいなかったことなどから、再エネ22～24%目標が低すぎるのではないか、原子力20～22%は非現実的なのではないかといった指摘もあった。

その後、2021年の菅総理（当時）の2050年カーボンニュートラル宣言（1-5参照）を受けて2030年のエネルギーミックスは見直され、「再エネ36～38%、原子力20～22%、LNG20%、石炭19%、石油など2%、水素・アンモニア1%」（再エネ目標の内訳は、太陽光14～16%、水力11%、風力5%、バイオマス5%、地熱1%）と再エネの割合が大きく積み増された。

1-2 再生可能エネルギーの拡大

2012年7月に開始されたFIT制度以降、再エネ導入は急速に拡大した。しかし、日本の再エネ拡大は長らく太陽光発電偏重との批判を受けてきた。実際に、容量ベースの導入水準（21年3月時点）を見ると、再エネ全体で約8200万kWのうち6200万kW（約76％）を太陽光発電が占める。太陽光発電偏重となった背景として、他の再エネに比べFITの買取価格が高かった点、事業リスクが低い点、適地が限定されない点、規制や許可が緩い点などが挙げられる。また、風力発電などの他の再エネの導入に適した地域においても、限られた送電線の容量を太陽光発電が占領してしまうといった課題や、FIT賦課金の大半が、買取価格の高かった太陽光発電に充当されてしまうといった課題が顕在化した。※1-2、1-3

一方で、FIT制度開始後の導入拡大に伴い、国内の太陽光発電及び風力発電のコストは急激に低下した。政府は、事業用太陽光発電について2025年発電コスト7円／kWh、陸上風力発電は2030年発電コスト8～9円／kWhを掲げている（図1-1）。足元ではコストの下げ止まり感もあり、適地の減少も懸念されているが、引き続き価格低下や導入拡大が期待される。

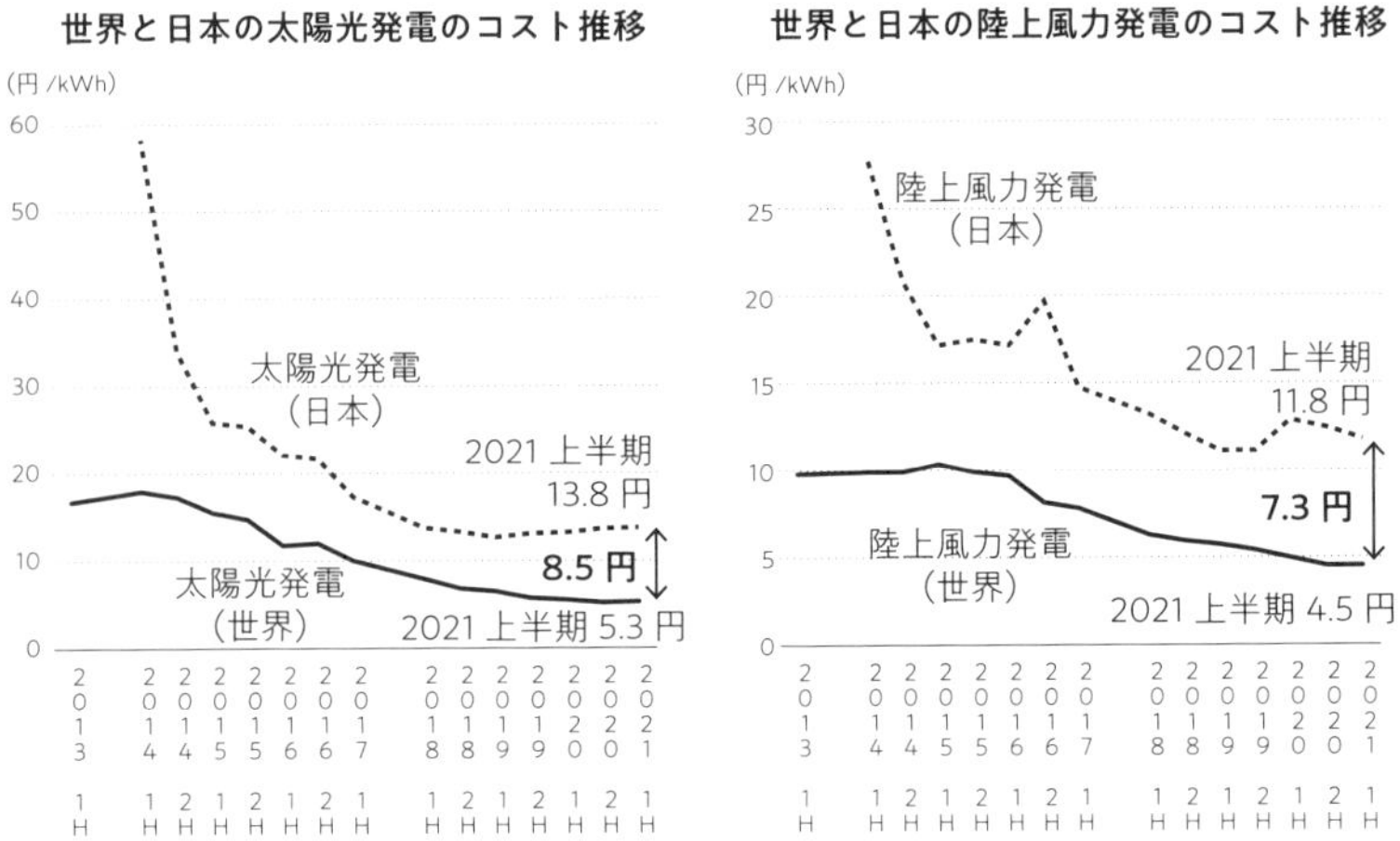

図1・1　太陽光発電と風力発電のコスト推移
（出典：第73回経済産業省調達価格等算定委員会資料、2021年12月22日）

1-3 電力システム改革

東日本大震災とこれに伴う原子力事故を契機に、需給ひっ迫下での需給調整、再エネを含めた多様な電源の活用の必要性が認識された。そのため、「需要家への多様な選択肢の提供」「再生可能エネルギー等の分散型電源の最大活用」「送配電ネットワークの強化・広域化や送電部門の中立性の確保[※1・4]」を軸に、政府において電力システム改革が急速に進められることになる。

電力システム改革の第1段階として、2015年4月に広域的運営推進機関が創設。同機関は、エリアを超えた電気のやりとりの司令塔となることで、全国規模で需給調整機能を強化し、災害時などに停電を起こりにくくすることなどの役割を担う（図1・2）。また、同年9月には、電力市場において健全な競争が促されるように監視機能を強

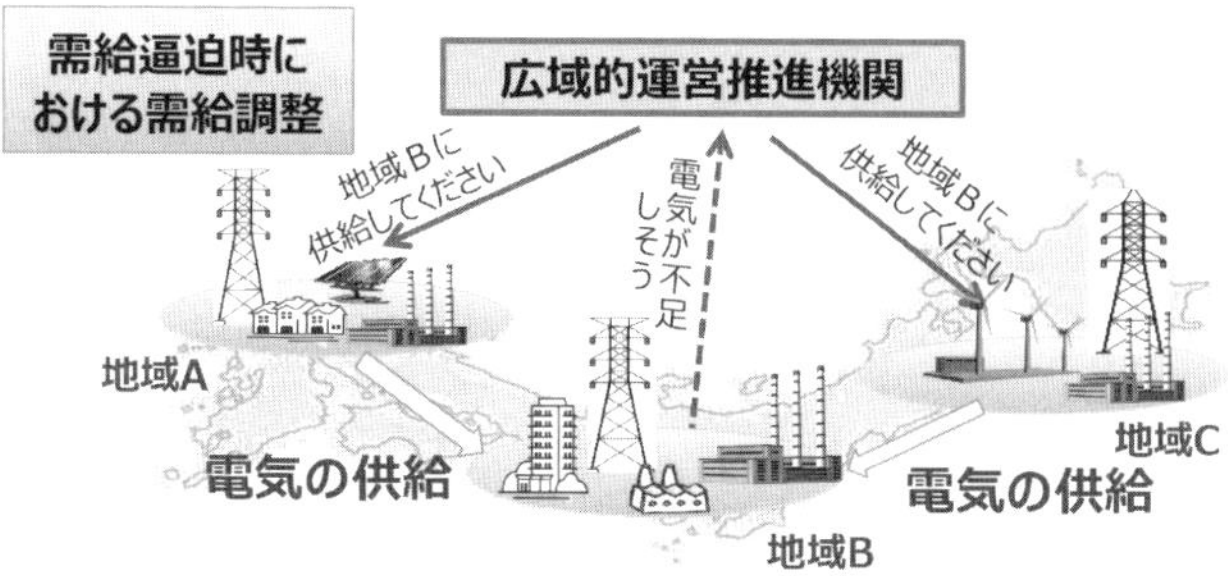

図1·2　広域的運用推進機関の役割
（出典：経産省ウェブサイト　https://www.enecho.meti.go.jp/about/special/johoteikyo/kouikikikan.html）

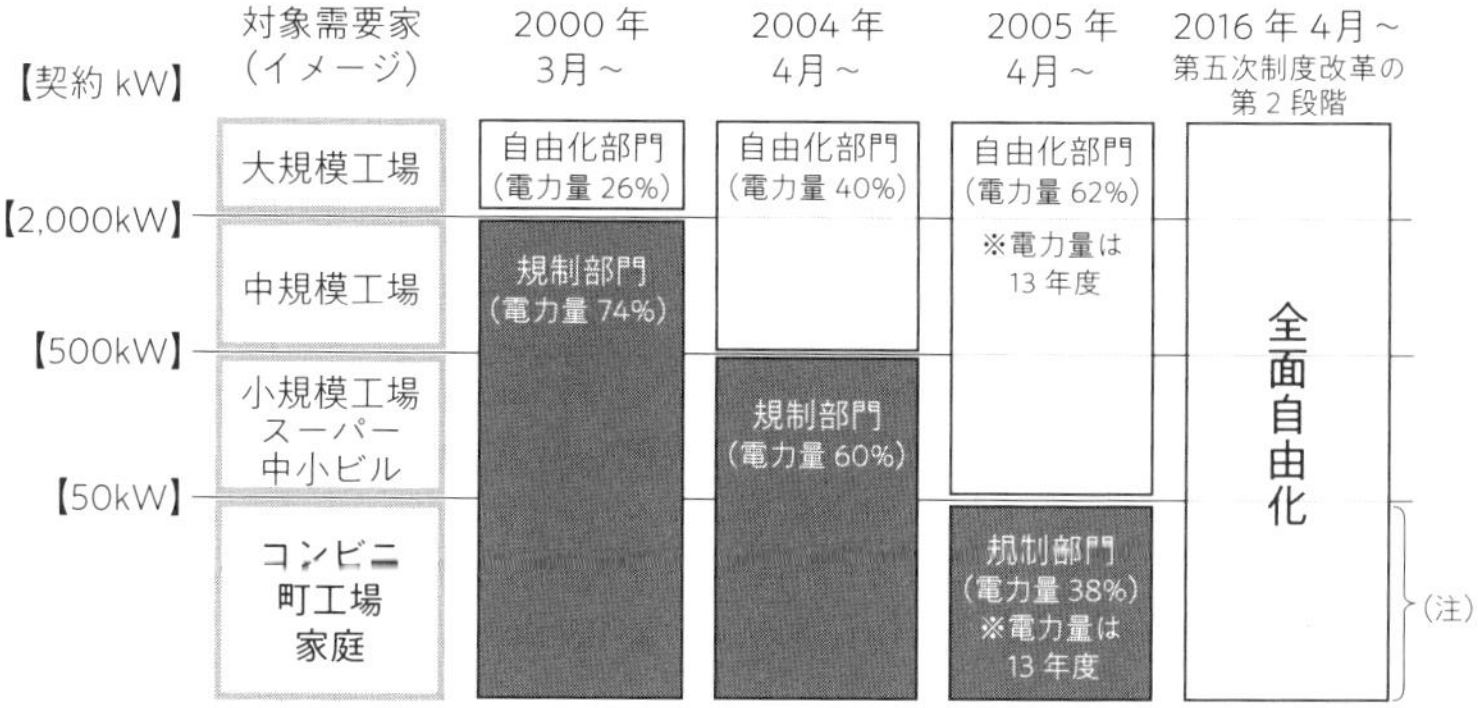

図1·3　電力小売自由化の推移（出典：経済産業省「エネルギー白書2018」）
（注）需要家保護のため、経過措置として、少なくとも2020年まで料金規制を残す（需要家は規制料金も選択可能）。

化するため、経済産業大臣直属の組織として、電力取引監視等委員会（2016年4月に電力・ガス取引監視等委員会に改組）が設立した。

電力システム改革の第2段階として、2016年4月からは、一般家庭を含むすべての需要家が電力会社や料金メニューを自由に選択できるようになる小売全面自由化が実施された。

なお、電力の小売自由化は2000年以降段階的に実施されてきており、2000年3月から2千kW以上の大規模需要家、2004年の4月から500kW以上の需要家、2005年の4

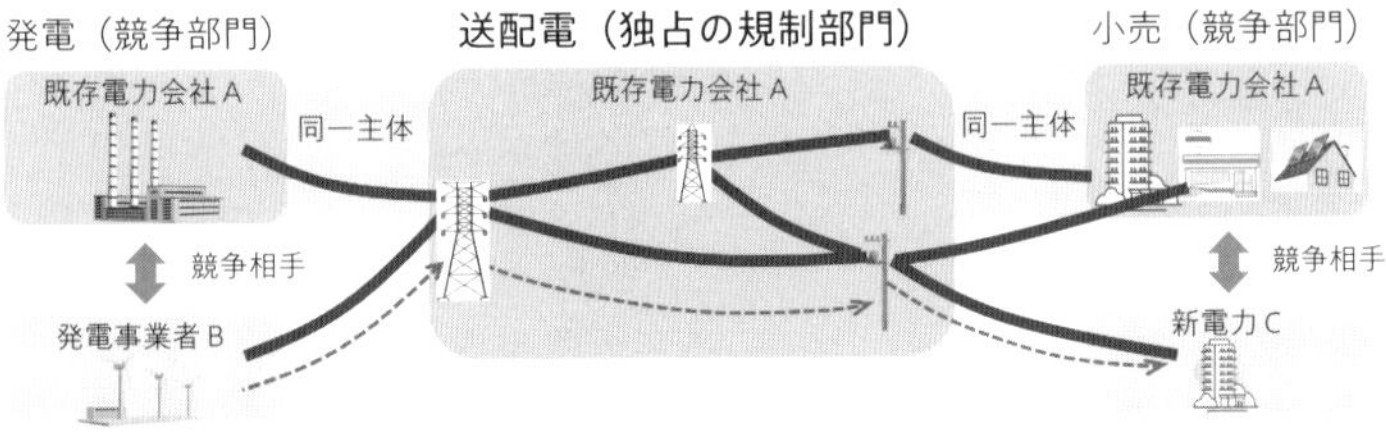

図1·4　発送電分離（法的分離）（出典：経済産業省「エネルギー白書2018」）

月から50kW以上の需要家が、東京電力や関西電力といった各エリアの大手電力会社以外からも電力を購入することが可能となっている（図1・3）。

そして、電力システム改革の第3段階として、2020年には送配電部門の中立性を高めるため、旧一般電気事業者の送配電の法的分離が行われた（図1・4）。これは、送配電ネットワーク部門を中立化し、託送料金を支払ったうえで、誰もが公平・平等に送配電ネットワークを利用できるようにすることを目的としている。この他にも、後述する容量市場の創設など、電力システムは大きな見直しの最中にある。

1-4 新電力の台頭

電力小売の全面自由化など一連の電力システム改革を受け、新電力（小売電気事業者）は大幅に増加した。新電力には、旧一般電気事業者の子会社、ガス事業者系、石油事業者系、通信・放送事業者系、鉄道事業者系など多分野から参入があった。そうした中、本書で紹介する地域の再エネ電源を調達して地域に供給す

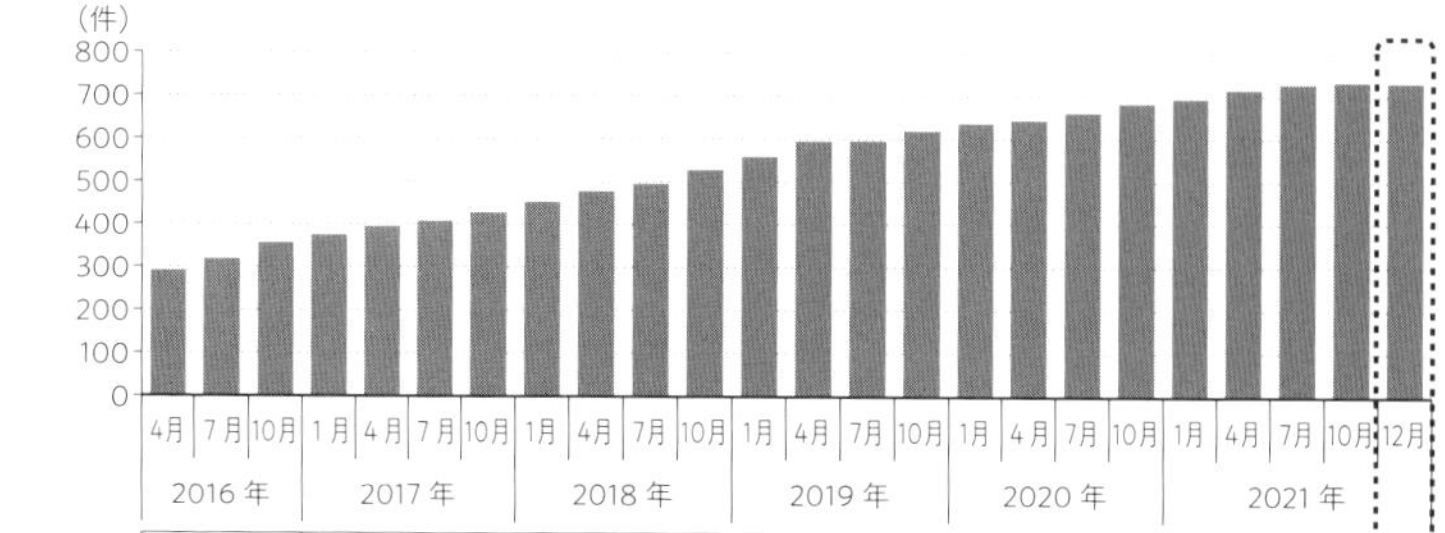

	2016年			2017年				2018年				2019年				2020年				2021年			
	4月	7月	10月	1月	4月	7月	10月	1月	4月	7月	10月	1月	4月	7月	10月	1月	4月	7月	10月	1月	4月	7月	10月	12月
登録件数	291	318	356	374	394	407	427	453	478	496	528	559	595	596	619	637	644	662	684	695	716	729	734	732
事業承継件数	0	3	3	3	6	6	8	10	18	22	24	28	32	55	59	61	67	72	82	84	94	96	99	104
事業廃止・解散件数	2	4	4	4	7	8	8	9	9	10	11	12	12	15	16	16	20	25	27	33	38	38	42	47

※件数はすべて、月末時点の件数。

（出所）資源エネルギー庁調べ

図1·5　小売電気事業者の登録数の推移
（出典：経済産業省電力・ガス基本政策小委員会資料、2022年1月25日）

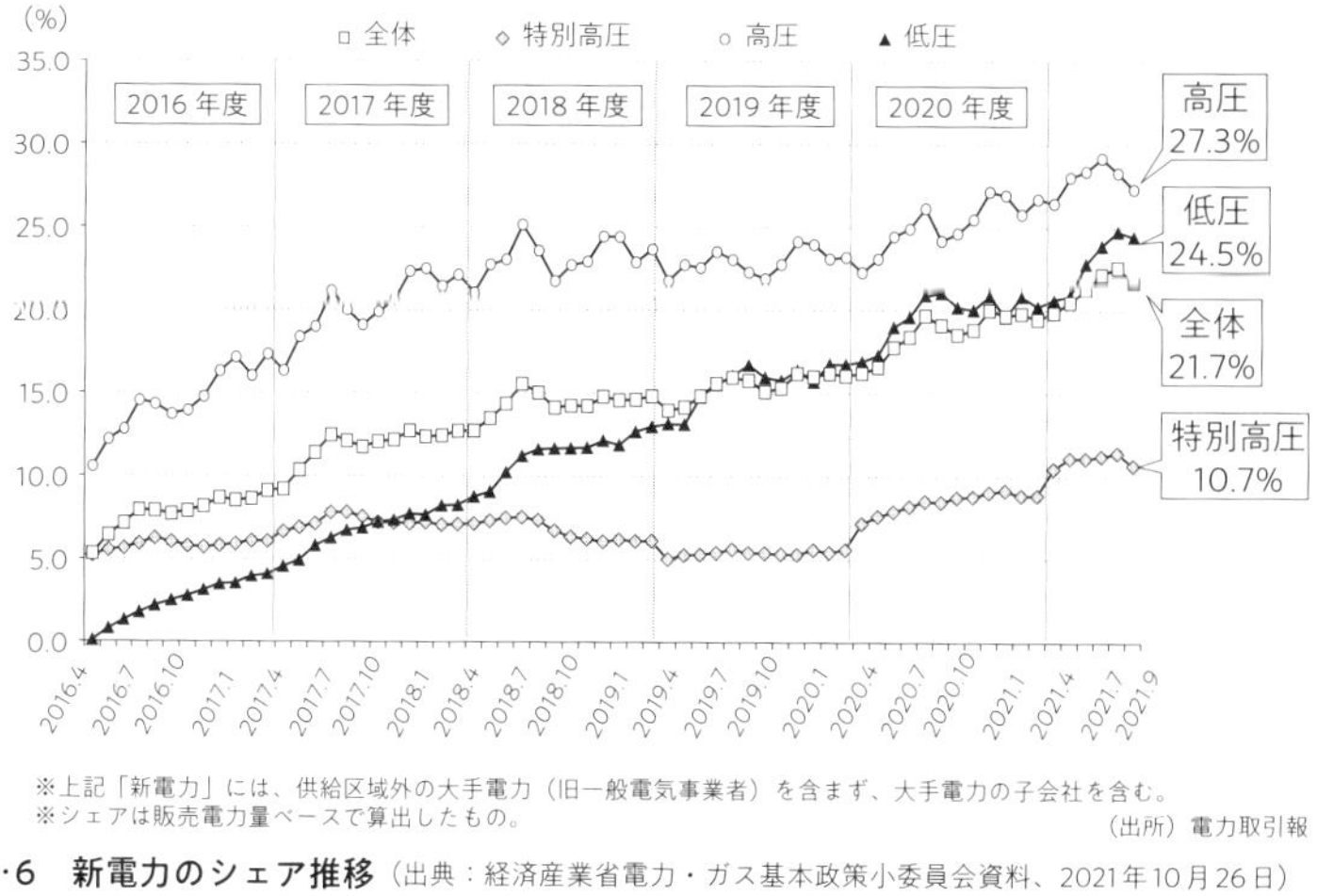

※上記「新電力」には、供給区域外の大手電力（旧一般電気事業者）を含まず、大手電力の子会社を含む。
※シェアは販売電力量ベースで算出したもの。

（出所）電力取引報

図1·6　新電力のシェア推移（出典：経済産業省電力・ガス基本政策小委員会資料、2021年10月26日）

る地域新電力も数を増やしていくことになる。

新電力の数は２０１６年以降増加し、２０２１年12月時点で７３２社となっており（図１・５）、そのシェアは、２０２１年９月時点で全体で21・７％（特別高圧10・７％、高圧27・３％、低圧24・５％）と増加している（図１・６）。

1-5 日本の温室効果ガス削減

本章では、東日本大震災を契機としたエネルギー政策の変遷などを見てきたが、エネルギー政策は地球温暖化防止対策とも密接に関係している。そのため、最後に震災後の日本の温室効果ガス削減への取組経緯を整理しておきたい。

２０１５年12月の「国連気候変動枠組条約締約国会議（ＣＯＰ21）」においてパリ協定が合意。パリ協定においては、「世界の平均気温上昇を産業革命以前に比べて2度より十分低く保ち、１・５度に抑える努力をする」「できるかぎり早く世界の温室効果ガス排出量をピークアウトし、21世紀後半には、温室効果ガス排出量と（森林などによる）吸収量のバランスをとる」ことが世界共通の目標として決められた。排出量の多い中国と米国を含む１９６か国が合意する歴史的な合意となった。

このパリ協定を受け、日本では、2016年5月に閣議決定された政府の地球温暖化対策計画において、2030年度の温室効果ガスの排出を2013年度の水準から26％削減すること、長期的目標として2050年までに80％削減を目指すことが示された。

その後、2020年9月に第99代総理大臣として、菅総理が就任。所信表明演説において2050年カーボンニュートラルを宣言すると、2021年4月に行われた気候変動に関する首脳会議（Leaders Summit on Climate）において、2050年カーボンニュートラルの長期目標と整合的で野心的な目標として、2030年度における温室効果ガスの46％削減（2013年度比）、さらに50％削減に向け挑戦を続けていくと宣言している。

この目標の決定プロセスは異例で、これまでのような産学の代表が出席する国の審議会における議論を経ず、米国バイデン政権の要請に応じた政治判断で決まった要素が強い。これには「エネルギーミックスを決めてから、目標を決めるのが筋だ」といった違和感を示す意見や、「積み上げではいつまでも50年のカーボンニュートラルに整合する目標を掲げられない。政治家にしか決められない目標だ」との好意的な意見の賛否両論が巻き起こった。[※1-5]

参考文献

※1・1　資源エネルギー庁新エネルギー課「2030年に向けた今後の再エネ政策」2021年10月14日

※1・2　周瑋生・蒋超迪・銭学鵬・仲上健一「日本における固定価格買取制度（FIT）下での再生可能エネルギー導入状況の特性と課題に関する研究」『政策科学』25-2、2018年2月
※1・3　北風亮「地域資源を活かした自治体電力事業の現状と可能性」学位審査論文、2019年3月
※1・4　電力システムに関する改革方針（平成25年4月2日閣議決定）
※1・5　馬場未希「どう挑む温室効果ガス46％削減―日本が2030年目標を引き上げ」日経SDGs、2021年4月26日配信　https://project.nikkeibp.co.jp/ESG/atcl/column/00005/042600071/

第2章

動き出す自治体エネルギー事業

2-1 いま、自治体が地域エネルギーに取り組むべき理由

全国の自治体を対象に環境省が実施した地域エネルギーに関するアンケート調査結果によれば、既に地域エネルギーに取り組み始めている自治体は約27％（264団体）となっている。それらの取組の目的は、地球温暖化対策、非常時のエネルギーの供給のほか、エネルギーコストの削減、地域経済の活性化による雇用の確保、新たな産業の創出による産業振興などが挙げられている（図2・1）。自治体の地域エネルギー事業は、地域の課題解決や地域メリットの創出を視野に様々な目的を持って展開されていることが分かる。これは、エネルギー政策を所管する中心部局（本アンケートへの回答部局）が、環境系部局（約45％）に次いで企画系部局（約32％）が多くなっていることとも整合的である。

本章では、自治体が地域エネルギーに取組むべき理由を「地域経済循環」「地域脱炭素」「地域課題の解決」「レジリエンス」「地域ブランディング」の5つの視点から考えたい。

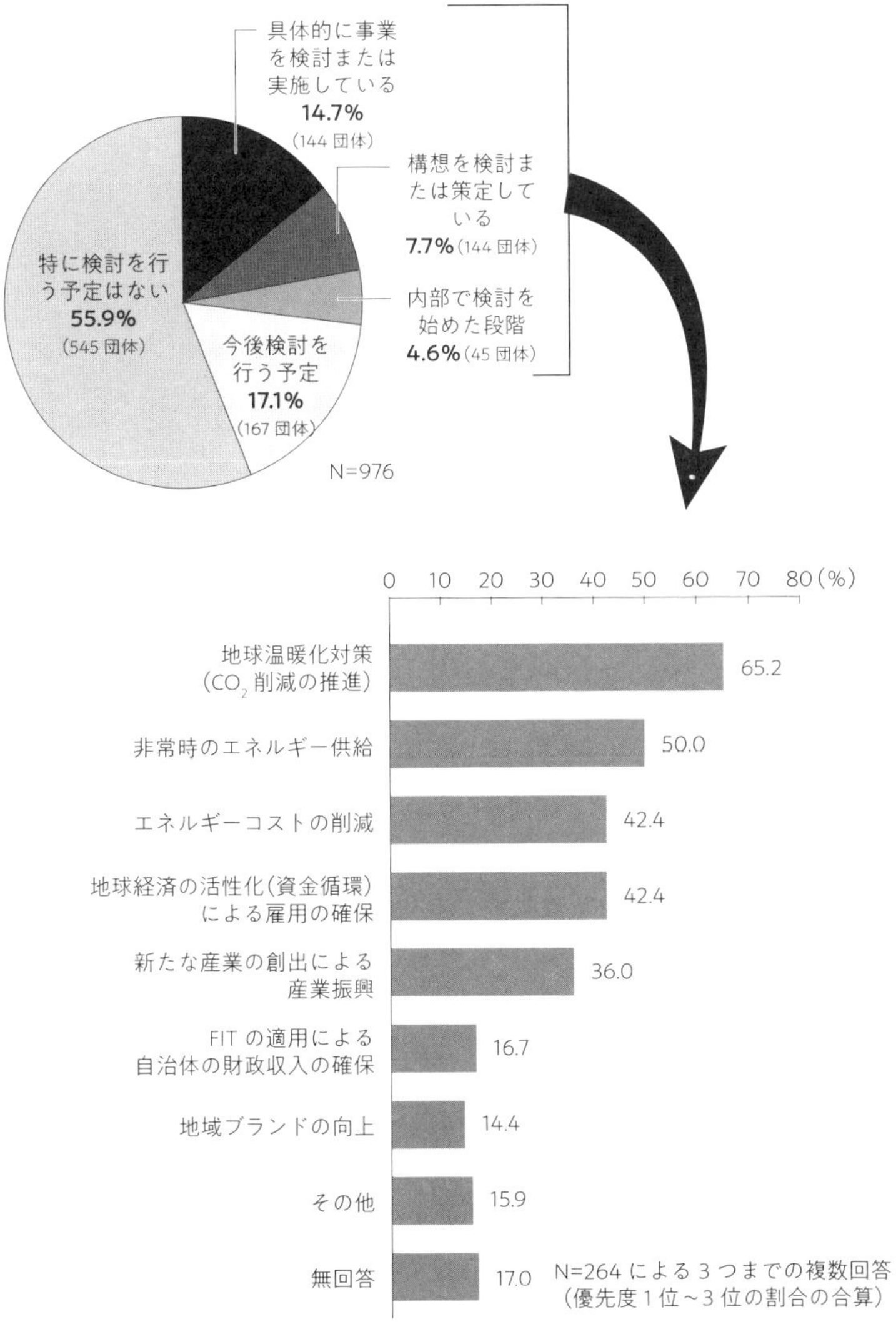

図2・1　地域エネルギー構想・事業の取組状況とその目的

(出典:環境省総合環境政策局環境計画課「地方自治体の地域エネルギー政策推進に向けた取組状況について(報告)」2015年3月)

1　地域経済循環──外貨を稼ぐことと同様に重要

　これまで地域創生のためのまちづくり事業は、他地域に地元の特産品を販売したり、観光客を呼び寄せるなど、いわゆる「外貨」を稼ぐことに主軸が置かれてきた。外貨を稼ぐことは当然必要で、このアプローチは正しいのだが、これらの事業化には、外の地域に対して高度なマーケティングが必要となり、かつ多くの競争に勝ち抜いていく必要が出てくる。

　一方で、地域内の需要に目を向けると、小さなまちですら、電気・ガス・ガソリンといったエネルギーで年間数十億円から数百億円を消費し、それらエネルギー代金は地域外、多くは化石燃料の輸入元である海外に出て行ってしまっている。地域で消費されるエネルギー代金を地域での再エネ開発や地域新電力によって地域で循環させることで、外貨を稼ぐことと同等の効果がある。

　このような地域経済循環の考え方を広めるため、環境省では、地域経済循環分析ツールを公開している。このツールでは、①現在のエネルギー代金の域外への流出状況、②再エネ事業を行った場合の資金流出抑制の影響などを把握できる。

　例えば、岡山県真庭市の事例では、バイオマス事業実施前のエネルギー代金（電気）の流出額は約24億円であったが、バイオマス事業実施後はエネルギー代金（電気）の流出は3億円に減少することが分かる（図2・2）。

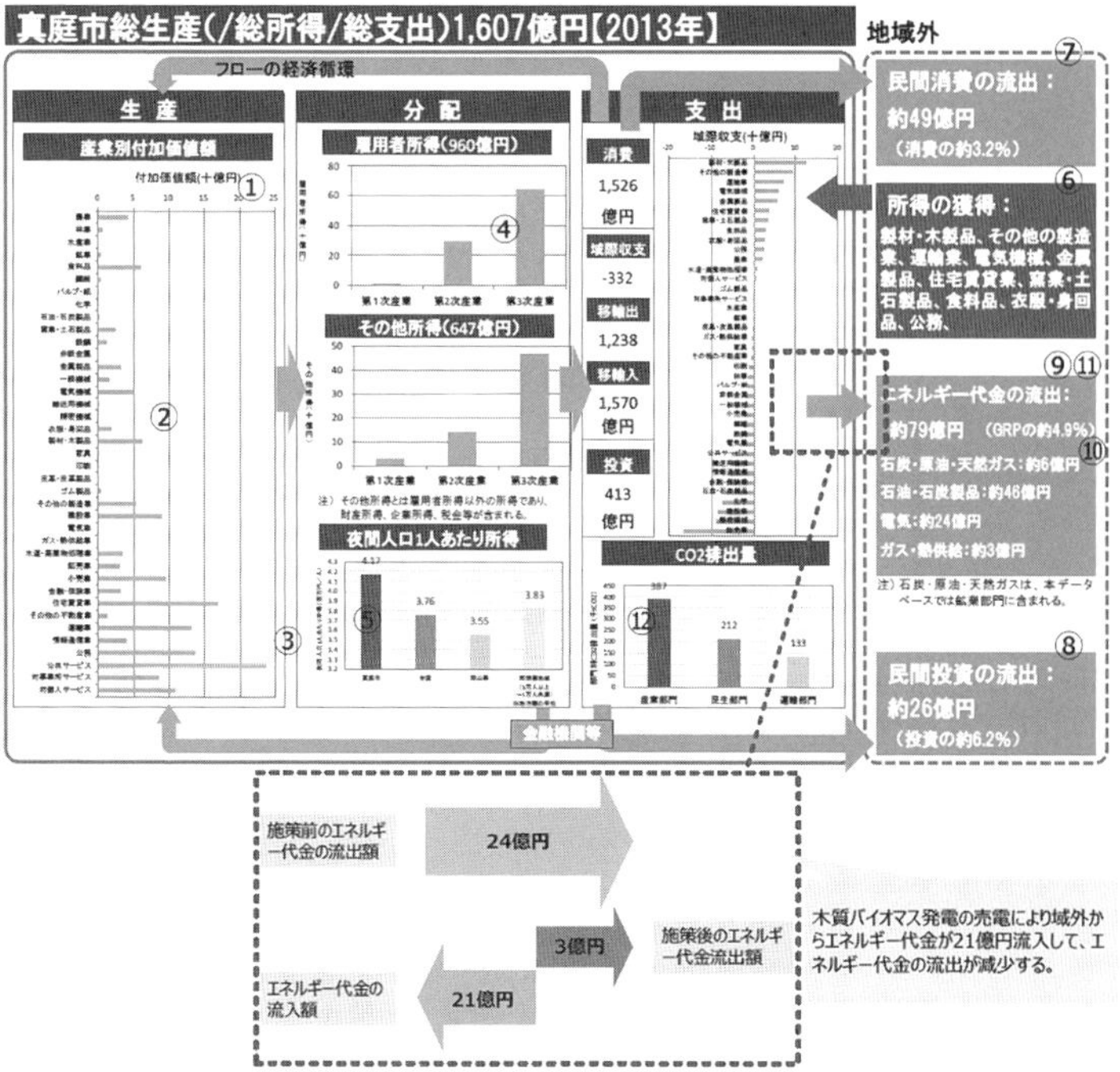

図2･2　真庭市の地域経済循環図（出典：環境省地域経済循環分析ツール）

また、地域での再エネ導入は、行政コストや地域の労力の割に地域が比較的手堅く収益を確保できる取組である。一般的なまちづくり事業に、観光振興や6次産業商品化があるが、観光振興には、観光客の誘致のための広報などが必要になるし、地域の特産品の6次産業商品化には、マーケティングや商品流通の開拓が必要となるなど多くのハードルがある。

観光であれば、国内外の景気の悪化や、近年だと新型コロナウイルス感染拡大などでも大きな打撃を受けた。地域の特産品の6次産業商品化についても、全国の消費者ニーズの把握・見込み需要の把握を誤る可能性もあるし、他地域で同様の商品が開発されてしまったら売上減の可能性もある。このように、一般的なまちづくり事業は地域外の状況に大きく左右されるが、地域エネルギー事業による地域経済循環は地域外の状況変化によるリスクが少ないという利点があるのだ。

再エネ事業の地域経済波及効果も一定規模が期待できる。環境省の試算によると、太陽光発電5千kWの導入は、①空き家対策ならば１８８人の移住者の増加（移住者の増加に伴う世帯支出のほか建設業、賃貸業への支出増など）、②少子化対策なら７００人のこどもの増加、③観光振興なら1万８８８０人の観光客増加（観光客の増加に伴う消費の増加や公共交通の増加など）と同等の経済波及効果が見込まれるとしている。[注2-1]再エネ事業は、数あるまちづくり事業の中で比較的多くの地域が取り組みやすく、一定の効果が期待できる事業と言える。

一方で、再エネ事業の地域経済波及効果に関する課題もある。一定の地域経済波及効果を出すためには、地域主体で事業を運営し、事業利益が地域に落ちることが重要であるが、現状そうなっていないのだ。日本においては、大規模な再エネ開発になるにつれファイナンスや人材などの理由から、地域外の大企業による開発が多くを占める現状がある。国内のメガソーラー１４７５か所の発電事業者などを調査した研究[※2-1]では、発電所の数ベースで65%が、出力ベースでは78%が県外事業者の開発となっている。県外事業者の平均設置規模は県内事業者の約2倍であり、東京など地域外の大企業が資金力を活かして大型のメガソーラーの建設を行っている様子がうかがえる。

地域の資源を活用する再エネ事業の利益は、本来であればその地域に還元され、地域発展につながっていくべきであり、今後の地域主体での開発の拡大が望まれる。

2 地域脱炭素――脱炭素の切り札「再エネ」の命運は地域が握る

第1章で触れたように、脱炭素の大きな流れは世界・日本ともに加速している。しかし、脱炭素は国の政策だけでは実現困難で、地域の取組が不可欠である。そのため、「地球温暖化対策の推進に関する法律」（温対法）に基づき、自治体には温室効果ガス削減のための「実行計画」策定が義務付けられている。自治体自らの事務・事業に伴い発生する温室効果ガスの排出削減に関する「事務事業編」はすべての自治体に、その自治体区域の温室効果ガス排出削減の施策を定める「区域施策編」は都道府県、政令指定都市、中核市に義務付けられている（その他の自治体は努力義務）。これらが、自治体がエネルギー事業に取り組む大きな動機ともなっている。

脱炭素の気運が高まる中、政府は自治体との連携を強化している。菅総理による2050年カーボンニュートラル宣言を受け、2020年12月に関係閣僚と自治体の首長からなる国・地方脱炭素実現会議を設置。同会議においては、自治体、地域企業、関係団体などへヒアリングを重ね、「地域脱炭素ロードマップ」を策定した。同ロードマップでは、地域脱炭素は地域課題を解決し地方創生に貢献するとされ、2030年度までに少なくとも100箇所の「脱炭素先行地域」をつくることが目標として掲げられた。具体的な重点対策として、地域共生型再エネの立地やコンパクト・プラス・ネットワークなどによる脱炭素型まちづくり、公共施設の徹底した省エネと再エネ電気調達など8項目が示されている。

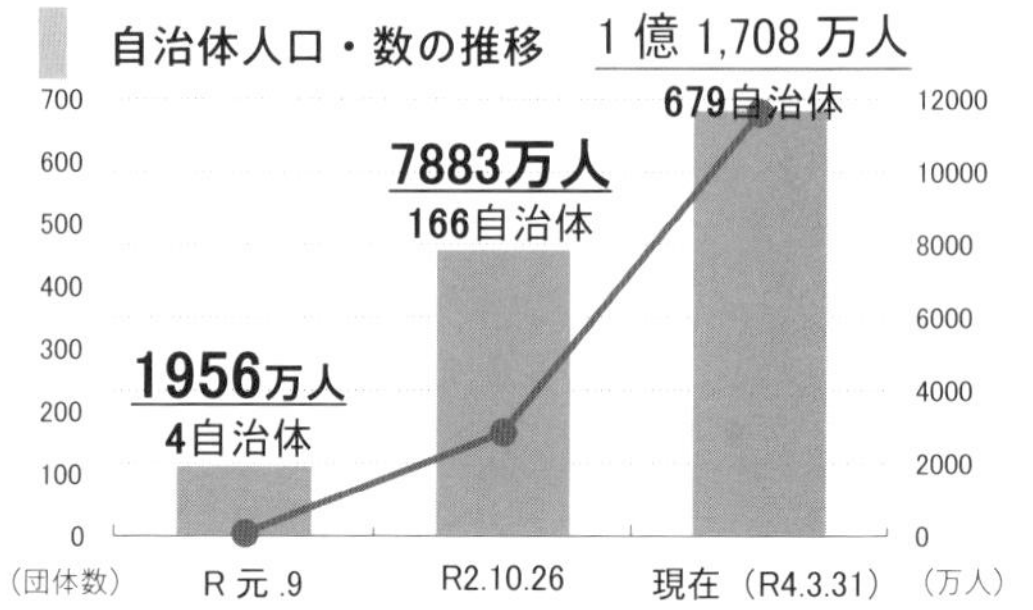

図2·3　ゼロカーボン宣言自治体の増加（出典：環境省ウェブサイト「地方公共団体における2050年二酸化炭素排出実質ゼロ表明の状況」）

こうした国の明確な方針やそれを後押しする予算措置などもあり、２０５０年までに二酸化炭素排出実質ゼロ（２０５０ゼロカーボンシティ）を表明する自治体が急増。２０２２年３月末時点で６７９自治体（41都道府県、４０２市、20特別区、１８１町、35村）が表明し、表明自治体総人口は約１億１７０８万人（都道府県と市区町村の重複を除外して計算）に上っている（図２・３）。

ゼロカーボンシティを目指す上で、地域共生型再エネ拡大は最重要だが課題も多い。ＦＩＴ制度によって導入が急速に拡大した太陽光発電は、地域に様々な問題・課題を残してしまった。山林を切り開いてのメガソーラー開発に対し、地域住民や自治体が反対するケースや、斜面に立地した太陽光発電所が大雨による土砂災害を誘発するといったケースが各地で発生したのである。また、太陽光発電による景観破壊や太陽光発電設備の廃棄対策などの地域の懸念も顕在化している。太陽光発電は脱炭素のための正義の味方ではなく、もはや地域にとって厄介者になりつつある。そのため、自治体によっては、一定規模以上の開発に対して届出を義務付けるなどの条例を定める動きも出てきている。

このように、たとえその地域が再エネの「適地」であったとしても、地域の反対があると導入は進まない。また、地域にメリットがない形で再エネを導入しても、地域の印象を悪くし、その後の導入加速に結びつかなくなる。これまでの失敗を繰り返さないよう、地域共生型の再エネを増やしていく必要がある。

3 地域課題の解決—エネルギー事業で一石二鳥を目指す

地域課題を把握し、再エネ開発の計画を地域主体で行うことで、再エネ事業の推進と地域課題の解決を同時にすることも可能である。

図2·4　由良第一太陽光発電所（京都府宮津市）。獣害の被害も見受けられる地域だったが太陽光発電設置で解消した。
（提供：OFE）

　地域課題を解決した再エネ開発の事例として、京都府宮津市のメガソーラーを紹介したい。2017年9月、オムロンフィールドエンジニアリング（OFE）と京セラ、そして地元企業の金下建設が共同で合計5MWのメガソーラーを設置した。2015年に宮津市とOFEが、経産省補助金を活用し、再エネ導入などに係る調査を実施したことがきっかけで事業検討がスタート。地元企業である金下建設が62%出資して筆頭出資者になり、地元金融機関の京都北都信用金庫や京都銀行が融資で支援した。このような地域主体での実施体制は、宮津市がハブとなることで実現した。

　開発地域の1つとなった由良地区（図2・4）は、数十年間手つかずの遊休地で、イノシシなどの獣害が発生していた。この地区に太陽光発電を設置することで獣害を防止し、うっそうとした景観も改善する開発計画を地域は歓迎した。地域での事業説明会では拍手まで起こったという。

この獣害発生地区のみでの太陽光発電開発では採算が厳しかったが、他の地区と併せて開発を行うことで採算性が確保されている。

なお、この獣害発生区域は敷地が細分化されており土地集約の難航が予想されたが、地域の自治会のサポートがあり円滑にとりまとめられた。事業者・地域住民・行政が一丸となったこと、開発計画の際にしっかりと住民ニーズをくみ上げたことが成功につながったと考えられる。

さらに、この成功は、宮津市内における次の太陽光発電事業につながっている。２０１９年１月には、地元の要請がきっかけで閉鎖された市内のスキー場跡地に太陽光発電が設置された。顧客満足度ならぬ地域の満足度が次の地域共生型のメガソーラー開発につながった事例と言える。

4　地域ブランディング――再エネによる企業誘致

投資分野では、従来の財務情報だけでなく、環境（Environment）・社会（Social）・ガバナンス（Governance）要素も考慮するＥＳＧ投資が拡大している。これまで企業が気候変動対策に取り組むことは加点要素であったが、今や、やらないと認めてもらえない（場合によっては批判の的になる）減点要素となった。脱炭素化に逆行する事業や経営を行う企業は、企業にも影響を与える重大なリスクを認識していないとみなされるた

めである。企業にとって、適切な気候変動対策を行うことが「営業免許証」になってきている。[※2-2]

こうした中で、日本を含めて世界中の事業者が再エネを選択する動きが加速している。その象徴は、事業で使用する電力を100%再エネとすることを目指す国際的なイニシアチブ「RE100」である。アップル、グーグル、イケア、P&G、スターバックス、VISAなど業種を超えた名だたるグローバル企業が参加しており、その数は361社に上る[※2-3]（2022年4月時点）。

RE100では、遅くとも2050年までに事業活動におけるすべての電力消費を再エネにすることが求められるが、前倒した達成目標を掲げる企業も多い。米グーグルや米アップルは、100%再エネ化を既に達成している。特に、米アップルにおいては、2030年までにサプライチェーン全体で温室効果ガス排出の実質ゼロを達成すると宣言しており、サプライヤーにも100%再エネ化を求めている。そして、それに対応し、同社へ納める製品や部材の生産に使う電力をすべて再エネでまかなうと約束したサプライヤーは、既に計175社にのぼっている。[注2-2]

日本企業においてもRE100への加盟が相次いでいる。2017年4月にリコーが初めて参加したのを皮切りに積水ハウスなどが続き、2022年4月時点で68社が加盟。[※2-4]今後も増加が見込まれる。なお、RE100は、加盟企業の年間消費電力量の基準（世界的には年間消費電力量100GWh以上。日本企業は日本における再エネの普及状況などを踏まえ50GWh以上に緩和されている）があることから、基本的に大企業が枠組みの対象となっている。

再エネ100%化を目指すようになったのは大企業だけではない。企業間での取引に自社の脱炭素化が重要になりつつあることを背景に、中小企業などでも再エネ100％化を目指す動きが加速している。遅くとも2050年までに使用電力を100％再エネに転換する目標を設定し、対外的に公表することを宣言する枠組み「再エネ100宣言RE Action」は、消費電力量基準によってRE100には加盟できない中小企業や自治体、教育機関、医療団体なども対象にするが、248団体（2022年4月時点）が参加している。[※2-5]

こうした中で再エネ導入が地域の産業誘致競争力に影響を与えるようになってきている。例えば、日本自動車工業会の豊田会長（トヨタ自動車社長）は、2021年3月の記者会見で「これから先はCO_2排出の少ないエネルギーで（クルマを）つくれる国にシフトする」「輸出分の生産が、再エネ導入が進んでいる国や地域へシフトすることが予想される」[※2-6]と発言している。

実際に、再エネにより地域をブランディングし、産業誘致につなげる試みも出てきている。豊富な再エネ賦存量を有する北海道石狩市は、石狩湾新港地域での「RE100ゾーン」（電力需要の100％を再エネで供給することを目指す区域）を設け、RE100企業などの誘致による地域活性化を目指している。既に京セラ子会社の京セラコミュニケーションシステムが同エリアへのデータセンター建設を決定しているが、同社の黒瀬社長へのインタビュー記事[※2-7]によれば、「再エネの適地は地方にある。送電網を引くより、電気を現地で使って、結果を別のカタチで提供する。」「送電網敷設には1㎞1億円が相場と言われるが、光ファイバー敷設のコストはそれよりも格段に安くなる。再エネ適地で電気を使ってデータプロセスし、その結果を光ファイバー伝達すれば安上がり」としており、再エネ価格の低下を見越し、再エネ利用による競争力強化が目指されている。まずは北海道で成功させ、そのノウハウを使って、他エリアにも展開したい考えだ。

企業の立地に際し、再エネを使える地域であることが重要になりつつある。今後、再エネによって地域をブランディングし、企業誘致などに結びつける動きが拡大していくと考えられる。

5 レジリエンス向上—非常用電源として活用

地域に再エネが増えることで、地域のレジリエンスも向上する。建物の屋根に太陽光発電が設置されていれば、その建物では停電時の非常用電源となるし、蓄電池も併せて設置されていれば、夜間など太陽光発電が稼働していない時にも電力を使うことができる。

また、経産省は、地域にある再エネを活用し、災害などによる大規模停電時にも自立して電力を供給できる「地域マイクログリッド」の構築を補助事業などを通じて支援している。2018年9月には北海道胆振東部で発生した最大震度7の地震をきっかけに、北海道全域が停電した。この時、近隣に再エネ設備があるものの、非常用電源としての役割を果たせなかったという課題が浮き彫りになった。これは、停電時に再エネ設備からの電気を電線を用いて送電し、地域で利用するためには、配電網設備などに一定の追加機能が必要となるためだ。今後、国の補助事業などが後押しし、地域マイクログリッドが拡がることで、地域のレジリエンスが高まることが期待されている。

column

戦前、自治体が電力事業を担っていた

あまり知られていないが、戦前、自治体が電力事業を担っていた地域も多い。日本の電力事業は明治19（1886）年の東京電灯設立が始まりだが、自治体による公営電気事業は、京都市が明治24（1891）年に運転開始した「蹴上発電所」と言われている。

戦前、自由競争の中、工業化などを背景とした急速な需要増を受け、電力事業者は増加した。大都市地域において、民間事業者による需要家の争奪戦が展開された一方、農山村地域では町村営による電力事業が展開されていた。1937年時点では、731事業者が電力供給を行っていたが、うち120事業者が公営であり、内訳は、県営6、市営16、町村組合営10、町営23、村営65であった。東京市や京都市といった市営電力事業は、収益を自治体財政に組み入れることを目的に実施され、町村営電力事業の多くは、電灯会社の供給地域から外れ未点灯となることへの対応が主目的であった。未点灯地域への点灯のため、住民による寄付金や出資も取り入れ町村営としたり、組合を組成することで水力発電などを実施していた。[※2-8]

その後、1941年の配電統制令により、公営電気事業は日本発送電に吸収されるとともに、一部を除き各配電会社に併合・統合され、いったん消滅することになる。戦後の電力事業は、民間の大手電力会社による「9電力体制」へと再編され、長らく自治体の電力事業は公営水力や廃棄物発電による電力卸供給などが細々と行われるのみとなった。

2-2 自治体のエネルギービジョンと具体的政策

本節では、自治体のエネルギービジョンと具体的な施策について、鳥取県北栄町、川崎市、長野県、東京都の事例を紹介する。これらの自治体を選んだ理由は、それぞれ地域の特性に応じた特徴ある政策・施策を構築しているためである。地域ごとに、効果的な政策・施策は異なるため、これらの事例がそのまま他の地域にも適用できるわけではないが、その考え方は全国の自治体に参考となるものである。

1 鳥取県北栄町 ──風車を町のシンボルとし売電収入を地域に還元

「やさしい風のふくまち」をキャッチフレーズとする北栄町は、鳥取県の中央部に位置する人口約1万5千人の町である。気候変動対策に力を入れており、2019年12月には、気候変動は人類の生存を脅かす脅威となっているとして気候非常事態宣言とゼロカーボン宣言を同時に表明した。気候変動対策と町の抱える経済・社会的諸課題との同時解決を図る姿勢を積極的に打ち出している。

図2・5　北栄町のウェブサイト（上：トップページはシンボルの風車）**と風車**（下：第二次北栄町まちづくりビジョンより）

町のシンボル・風車が収益をもたらした

北栄町のシンボルとなっている風車は、町営で1千500kWが9基あり、この規模は市町村直営では日本最大級となっている（図2・5）。2005年当時の建設費用は合計約28億円（財源：NEDO補助7億円、公営企業債20・5億円）で、年間発電量約2万1千MWh（一般家庭約6千世帯分の電力使用量に相当）を売電している。

2013年度からは風力発電事業の収益の一部を町全体に還元する「風のまちづくり事業」を実施。毎年約5千万円の売電収入を一般会計へ繰り入れ、学校や防犯灯のLED化、廃油回収、公共施設太陽光設置、再エネ設備導入の補助金、急速充電器設置、学校へのエアコン設置、在宅育児事業等に充当してきた。風力発電事業で安定的に稼ぎが生み出されており、一般会計が90億円程度である同町にとって、小さくない収入となっている。なお、設置時の起債は、2018年度に償還完了しており、風力発電事業の利益による基金（預金）も2020年度末で7億8千万円に上っている（撤去費等に充当予定）。

北栄町版シュタトベルケ構想

ドイツでは「シュタットベルケ」と呼ばれる地域密着型の事業体が地域のエネルギーと生活インフラの整備・運営を担っており、その数はドイツ国内で900箇所以上にのぼる。この事業体は地域資源を活用して地域内の経済循環や産業・雇用の創出といった地域貢献を目的に設立され、地域の公益に寄与する多様なサービスを提供している。

北栄町においても、「北栄版シュタットベルケ創設」などを検討するため、2018年に「北栄町バイオマス産業都市構想」が策定された。具体的には、北栄町において地域エネルギー会社を創設し、バイオマス発電施設や木質バイオマスボイラーなどの導入・運営を一括で請け負う仕組みを検討している。また、この地域エネルギー会社が、町の風力発電、町内の民間事業者の太陽光発電なども一括して管理・把握することも検討されている。

同町では、森林組合とJAが協力し、地域で発生する剪定枝の収集が行われており、また、2016年には町内で新たにチップ工場が建設され、町内の剪定枝や支障木などが収集されている。実施にあたっては、これら事業者との連携が想定されている。なお、直近の木質バイオマスボイラー導入としては、プールなどのスポーツ施設や福祉施設などへの導入が目指されている。

古い冷蔵庫を探せ！

省エネの普及啓発には、住民と近い基礎自治体の積極的な取組が重要だが、北栄町では、２０１５年度に行った「古い冷蔵庫を探せ！コンテスト」など、楽しみながら省エネできる取組を進める。冷蔵庫は、家電の中でも年間の消費電力量が大きいため、高効率な冷蔵庫への買い替えは家庭の省エネでの優先順位が高いとされる。「古い冷蔵庫を探せ！コンテスト」では、最も古い冷蔵庫を見つけた人には最新モデル冷蔵庫がプレゼントされ、２位以下の人にも順位に応じ冷蔵庫購入割引券が進呈される取組だ（２位だと５万円分）。古い冷蔵庫の年間電力消費量は最新機種の約３倍の６００kWhにものぼり、買い換えるだけで年間１万円程度の電気代の節約につながり、家計にもメリットがある。

この他、町内の建築のプロに教わりながら壁に断熱材を入れたり、内窓の設置を通して断熱の方法と重要性について学ぶＤＩＹ断熱ワークショップも開催する。

試練を迎えた風力発電事業

一方で、北栄町のシンボルだった風力発電事業が試練に立っている。耐用年数（17年）を迎えようとしている既存風車について、９基すべてを廃止し、新たに最大５機の風車（合計最大出力１万３５００kW）に更新することを検討してきたが、町議会で否決されたのだ。

更新後はＦＩＴでの売電を前提としているが、そのための風況調査費用（３千万円）や中国電力ネットワークへの系統連系に係る負担金（３３００万円）拠出について、２０２１年９月、10月、12月と３度議会で否決された。12月議会では、賛成５に対し反対９であり、反対意見として「47億円と試算される建設費について町の財政規模に対しリスクが大きすぎる」「町民の健康や景観に影響し、不安材料が大きい」などが挙げられた。

なお、議会で否決される２日前には、風車に隣接する自治会の代表者や学識経験者から成る検討会が、町長に対し、「継続して検討し、３年以内に結論を出す」ことを要請する答申を出しており、議会と異なる結論が出されていた。

北栄町の風車更新については、町直営、民間への譲渡案など様々な手法が住民をまじえて検討されていた。風車が町のシンボルとなっており、風車が町に収益ももたらし、既に15年以上風車とともにあった北栄町のこの一連の議論は、再エネ事業実施の難しさも表している。

地球温暖化対策の推進に関する法律の改正により、ポジティブゾーニングの設定などを通じ、再エネ事業に積極的にコミットする自治体が増えると考えられる。これらの動きに対しては、地域でも様々な意見が交錯するだろう。各地で合意形成の実績が積み重なり、再エネが地域と共生する形が徐々に形成されていくことが望まれる。

column

雲の上の町　高知県梼原町

2009年に環境モデル都市に選定された高知県梼原町においても、北栄町と同様に町営風車からの収入を地域還元している。同町は、発電出力600kWの風力発電を2基所有し、年間発電電力量296万kWh発電しているが、売電収益の一部を森を守るための間伐を行った森林所有者への交付金や太陽光発電・ペレットストーブの導入補助に充当している（図2･6）。

また、間伐材などから木質ペレットを生産し、ペレットストーブなどの燃料に活用するとともに、ペレット生産などの事業収入や企業との協働により森林づくりに取り組む循環モデル事業を展開している。

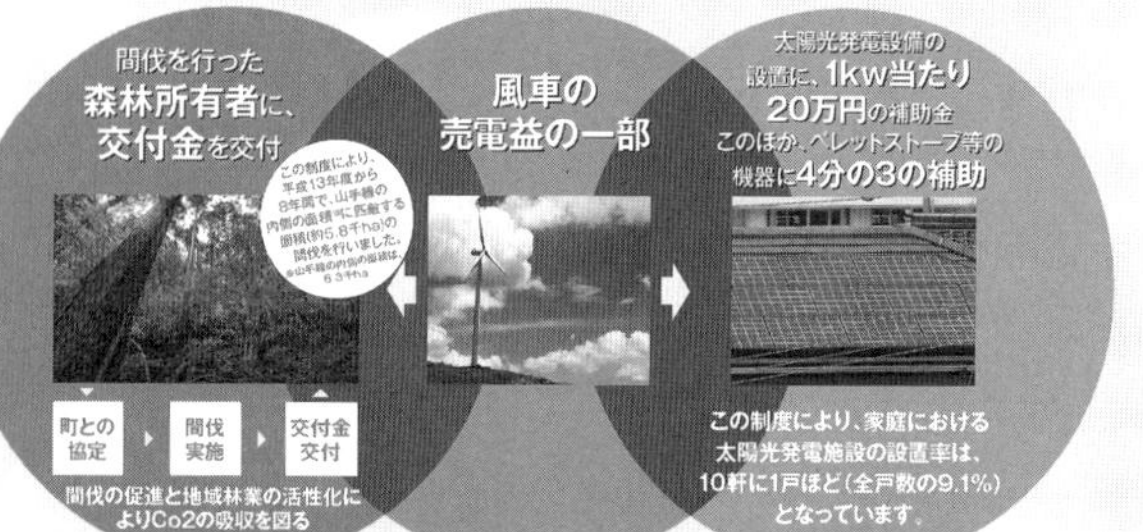

図2･6　風車からの売電収入を地域に還元する梼原町
（出典：梼原町ウェブサイト）

2 神奈川県川崎市──政令市最大のCO_2排出自治体の責任

神奈川県内の人口150万人を超える都市である川崎市は、政令市最大のCO_2排出自治体である。また、発電事業者や製油所が多く立地しており、大規模エネルギー供給拠点としての特性や工業地域といった特性も有し、脱炭素のハードルは高い。

川崎市の野心的な削減目標

川崎市では、近年の気候変動対策への機運の高まりを踏まえ、2022年3月末に市の地球温暖化対策推進基本計画を改正した。

同計画においては、現在は化石燃料による発電設備や製油所、工業設備が並んだ川崎臨海部が、2050年にはCO_2フリーな水素などを輸入・供給する拠点になるなど、川崎市が首都圏の脱炭素化に貢献する姿がイメージされている。

また、同計画では、川崎市における2050年の温室効果ガス排出実質ゼロをゴールに設定し、バックキャスティング[注2・3]により、2030年度までに2013年度比で50%の温室効果ガス削減を掲げる。同市のCO_2排出量の部門別構成比は、産業系（産業、工業プロセス、エネルギー転換）が全体の約76%を占めており、全国平均47%と比べても非常に大きい（いずれも2019年度の値）。また、CO_2排出量をエネル

表2·1　川崎市地球温暖化対策推進基本計画の改正案における5大プロジェクト

カテゴリ	施策
(1) 再エネ系	・地域エネルギー会社を中核とした新たなプラットフォームを設立し、市域の再エネ利用を拡大
(2) 産業系	・川崎カーボンニュートラルコンビナート構想に向けた取組 ・事業者の脱炭素化を促進するための条例制度の見直し ・市内産業のグリーンイノベーション推進に向けた網羅的取組
(3) 民生系	・脱炭素モデル地区の展開及び脱炭素先行地域づくり ・再エネ導入に係る義務制度の検討及び市民・事業者の再エネ・省エネ促進に向けた行動変容の仕組み構築 ・家庭から排出されるプラスチックごみの一括回収に向けた取組
(4) 交通系	・EV/FCV ステーション拡充に向けた優遇措置などの検討及びEV カーシェアリング、世界初 EV タンカー船運行など次世代自動車など導入促進 ・歩いて暮らせるまちづくりに向けた拠点整備及び地域公共交通の利用促進
(5) 市役所	・2030 年度までにすべての市公共施設へ再エネ 100%電力を導入するとともに、設置可能な施設の半数に太陽光発電設備を導入 ・2030 年度までにすべての公用乗用自動車へ次世代自動車を導入

ギー構成別にみると、熱エネルギー由来のCO_2排出量が、電力エネルギー由来の3倍以上となっている。2050年の脱炭素社会の実現に向けては、電力エネルギーを効率化・脱炭素化するだけでなく、熱エネルギーの効率化・電化・再エネ化や工業プロセスなどの脱炭素化も必要となってくる。

このような地域特性を踏まえつつ、野心的な目標をなんとか達成するため、同計画では特に事業効果が高い重点事業として表2・1の5大プロジェクトや、ナッジ[注2・4]を活用した普及啓発、中小企業を対象とした省エネ・再エネ補助金、グリーンファイナンスの推進など40施策が示されている。

川崎市の地域エネルギー会社設立構想

また、川崎市は、廃棄物発電など市内外の再エネ電源を調達し、市内の公共施設や民間施設・

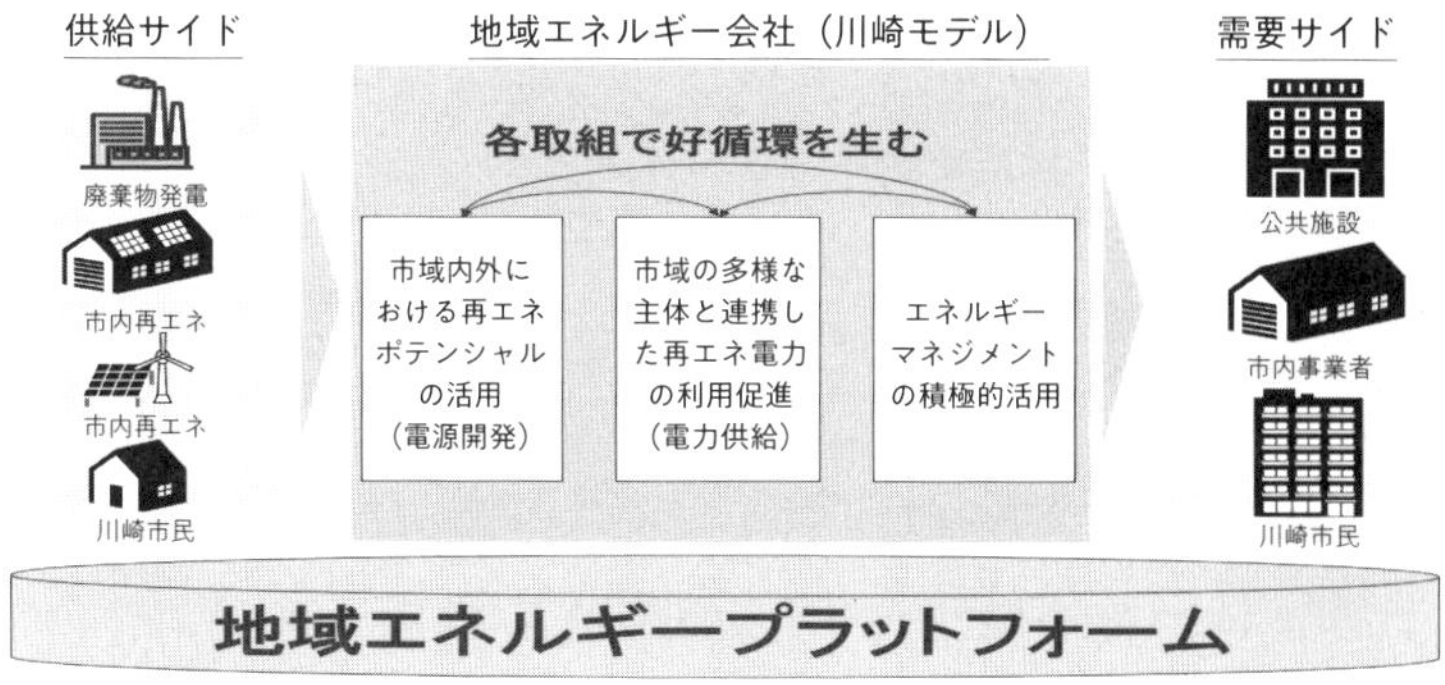

図2·7　設立が予定されている地域エネルギー会社（提供：川崎市）

家庭に電力供給する地域新電力設立を目指している（図2・7）。同社は電力販売のみならず、オンサイトPPA[注2・5]による太陽光発電設置や、エネルギーマネジメントも行うことが想定されている。上記5大プロジェクトのうち、⑴再エネ系、⑶民生系、⑸市役所の3つのプロジェクトを一体に推進する主体として位置づけられる見込みだ。地域新電力によって、市域内における再エネの好循環と機運の醸成が図られ、市のエネルギー施策がリードされることが期待されている。

川崎市の施策の現在と今後

川崎市では、現在も多様な施策が展開されている。特に、その地域特性から事業者向けの施策が手厚く、①エネルギー使用量が一定規模以上の事業者に地球温暖化対策計画書及び結果報告書の提出義務が課されており、②一定規模以上の開発事業においても開発事業者は地球温暖化対策計画書の提出が義務化されている。中小企業向けの再エネ・省エネの補助金、省エネ診断、さらには、従来製品よりCO_2が削減された川崎発の製品などを認定する「低CO_2川崎ブランド」の実施など取組は幅広い。

また、市内の高津区溝口周辺を「脱炭素モデル地区（脱炭素アクションみぞのくち）」として、脱炭素化都市の具体像を示すショーケースとして設定している。同地区では、①ENEOSの水素ステーションの新設、②公共施設の100％再エネ電力への切り替えやLED化、③傘・自転車・自動車のシェアリング、④ペットボトル削減のための給水スポット設置などの取組が集中的に実施されている。

前述の川崎市の地球温暖化対策推進基本計画に列挙された2030年、2050年までの施策は、これまで実施されてきた施策を深化させたものも多い。培った経験を活かすことで厚みのある施策の構築が可能となっている。

化石燃料による発電設備や製油所、そして熱由来のCO_2排出も多い施設を含む工業地域を抱え、脱炭素のハードルの高い川崎市が、脱炭素社会の実現を目指すことの役割と重要性は非常に大きい。川崎市が野心的な目標にどれだけ近づけるのか、今後の進展に注目したい。

3　長野県──豊かな自然を生かした太陽光発電と小水力発電普及

自然豊かで再エネポテンシャルの高い長野県は、2019年12月にゼロカーボン宣言を実施。条例にも都道府県で初となる「2050年度までに二酸化炭素排出量を実質ゼロ」目標を規定した。2021年6月には長野県ゼロカーボン戦略をとりまとめ、2050年ゼロカーボン実現を目指した2030年度までのアクションを示した。同戦略では、脱炭素社会を経済発展とともに実現することが目指され、特に住宅太陽光と

図2·8　信州屋根ソーラーポテンシャルマップ（出典：「長野県ゼロカーボン戦略」）

小水力発電を大きな柱としつつ、2030年度までにエネルギー自立地域を10箇所以上にすることを目標としている。

太陽光発電普及策

長野県は日射量が豊富で太陽光発電の適地であることから、住宅用太陽光発電設備普及率は全国第2位（2020年3月時点）だ。しかし、未だ9割の住宅は未設置であるため、同県は主に3つの施策で屋根上への太陽光発電を積極的に推進している。

1つ目の施策は、建物ごとに太陽光発電の推定発電量や電気代削減額・売電収入などを見える化した「信州屋根ソーラーポテンシャルマップ」である（図2・8）。これにより各建物への太陽光発電設置の投資回収の目安を提供するとともに、地域の設置事業者情報や市町村の補助金情報を併せて紹介している。なお、同時に太陽熱利用システムの設置ポテンシャルなども分かるようになっている。

2つ目の施策は、太陽光発電設備などの販売・設置を行う事業者を県が認定し公表することで、住民とのマッチングを図る「信州の屋根ソーラー事業者認定制度」である。太陽光発電設置によるトラブルも少なくないことから、事業者の一定条件を県が確認してくれていることは県民の安心につながる。

3つ目の施策は、県が太陽光発電設備及び蓄電池の購入希望者を募り、一括して発注することで、通常よりも安い費用で設置できる共同購入事業である（共同購入については2-3-1で詳述）。これらを通じ、太陽光発電のメリットの見える化や設置に向けたサポートを行う。

小水力発電などの普及策

長野県は、高低差のある地形や豊富な水資源があり、小水力発電のポテンシャルも非常に高い。小水力発電推進に向け、小水力発電の円滑な事業化のため、適地選定、事業計画策定、許認可手続き、経営支援をワンストップで行う「小水力発電キャラバン隊」によるサポートを行っている。また、長野県はこれまで自ら水力発電所の建設や管理運営を行っており、その経験などをもとに、開発にあたってのマニュアルや事業計画試算シートなどを公開している。

また同県は、農業用水路における小水力発電の導入が見込まれる地点を把握し公開している。候補地として可能性のある地点は164箇所、推定発電出力は2万5727kWとなっている。

加えて、小水力発電、太陽光発電（特色ある事業に限る）及びバイオマス発電について、調査・計画策定や発電設備導入などに対し、収益納付型での補助金を実施している。収益納付型とは、発電所運転開始後の

表2・2　環境エネルギー性能検討制度・自然エネルギー導入検討制度の対象（長野県）

床面積の合計	環境エネルギー性能検討制度		
	性能検討義務	性能表示の努力義務	検討結果の届出義務
10,000m^2 以上	○	○	○
2,000m^2 ～	○	○	○
300m^2 ～ 2,000m^2 未満	○	○（戸建て住宅除く）	—
10m^2 超～ 300m^2 未満	○（平成27年4月1日～）	—	—
10m^2 以下、文化財、仮設、冷暖房などなし	—	—	—

○：義務
—：義務なし

床面積の合計	自然エネルギー導入検討制度			
	自然エネ検討義務	設備表示の努力義務	検討結果の届出義務	未利用エネ検討義務
10,000m^2 以上	○	○	○	○
2,000m^2 ～	○	○	○	—
300m^2 ～ 2,000m^2 未満	○	○（戸建て住宅除く）	—	—
10m^2 超～ 300m^2 未満	○（平成27年4月1日～）		—	—
10m^2 以下、文化財、仮設、冷暖房などなし	—	—	—	—

一定期間で、売電収益から補助金相当額を県に納付するものである。

この他、再エネ事業の担い手育成や各主体のネットワーク構築を目的に「自然エネルギー信州ネット」を2011年に立ちあげており、2020年9月時点で381会員が加盟している。各種イベントなどが頻繁に開催されており、県内の各主体が連携して活発な活動が行われている。

建物のエネルギー性能検討義務

長野県は2013年3月に長野県地球温暖化対策条例を改正し、建築主に対し、新築時に環境エネルギー性能と自然エネルギー導入の検討を義務づけた（表2・2）。また、設計・建築事業者にも、この検討に必要な情報を建築主に対して説明すること

column

痒い所に手が届く長野県の充実した「屋根貸し」手引き

長野県の取組の中で、元自治体職員の筆者から見て、全国の自治体職員が参考になると思ったのが「県有施設における太陽光発電設備導入検討の手引」である。これは、長野県が2014年度から実施している県有施設の屋根を太陽光発電事業用に地域事業者へ貸し出す事業から得た知見がまとめられたものだ。

FIT制度開始以降、全国の多くの地域で太陽光発電用に公共施設の屋根を貸し出す動きが広がり、多くの自治体職員は、その貸し出し方法の検討に追われた。公共施設の屋根の貸し出し方法には、主に貸付（賃貸借契約）と目的外使用許可の2種類の手法があるが、これらの法的根拠や期間、メリット・デメリットを各自治体それぞれが調査・検討していた（私も何度もこの議論に遭遇したことがある）。

この手引では、自治体が検討しなければならないことが詳しく明記されるとともに、長野県が採用した方法とその理由も記載されている（長野県は「貸付」を採用）。この他、太陽光発電を設置できる施設の洗い出し方法、検討のフローなどが記載され、まさに自治体職員の痒い所に手が届く内容となっているのだ。

今後、自治体が再エネのポジティブゾーニング（2-3-3）を行う際に、公共施設の屋根や自治体所有の遊休地を民間に貸し出して再エネ導入すべきという議論が出てくることが想定される。この長野県の手引は、全国の自治体職員の手間を省くのではないかと思っている。こういった自治体が蓄えた知見・ノウハウを積極的に公開する取組が全国で広がってほしい。

を義務化している。

同県は、①建築主にとっては、環境エネルギー性能が良い家は丈夫で長持ちするうえ、冷暖房に要するエネルギー使用量が少なくなり、特に冬季の寒さが厳しい長野県では長期的にはおトクになる、②設計・建築事業者にとっては、設計段階から建築主と良好な関係を築くことにより、施工後も建築主から補修やリフォームなどの相談を受けやすくなるとともに、高性能・高付加価値な住宅の施工・販売を扱う頻度が高くなるといったように、双方のメリットを示している。

建物は数十年にわたり使用され続けるため、今後建築される建物は2050年の温室効果ガス排出量に大きな影響を及ぼす。新築建物における高い環境エネルギー性能と再エネ導入の誘導は、優先順位の高い施策である。

4 東京都──再エネ選択を需要家に促す都市型施策

東京都は、自治体においてエネルギーや気候変動対策がそれほど注目されていなかった時代から、独自の路線で取組を重ねてきた。日本では再エネの政策目標を設定する自治体がほとんど存在しなかった2006年には「東京都再生可能エネルギー戦略」を策定し、2020年までに東京のエネルギー消費に占める再生可能エネルギーの割合を20%程度とすることを目標に掲げた。2011年3月の東日本大震災後には多くの日本の自治体において、地域エネルギービジョンや再エネ目標が策定されることになるが、東京都はその先駆けと言える。

国に先駆けた施策

東京都の環境エネルギー施策は、国に先駆けたものが多くある。2002年には、家電販売店と協力して家電の省エネ性能をラベルで見える化する取組を実施。2005年7月に環境確保条例において、家電量販店などでの省エネラベルの表示を義務化した。都が実施した省エネラベリング制度の取組は他の自治体に広がり、2006年10月からの国での実施につながった。

太陽光発電については、国の補助金が打ち切られ、導入量が低迷していた2009年度から、10万円／kWhという高額な補助を独自に開始。国によるFIT制度が開始されるまで太陽光発電産業を下支えした。

温室効果ガス削減にも積極的で、産業界などの反対の中、2010年度に日本で初めて温室効果ガスのキャップ&トレード制度の運用を開始している（同制度は現在も国では未導入）。これは大規模事業者に対し、排出枠を割り当てるとともに、排出枠の売買を可能とするもので、自治体の温室効果ガス削減施策の中で最も大規模な事業の1つとなっている。

パリ協定を受けて取組が加速

2019年には、パリ協定を受け、大都市の責務として平均気温の上昇を1・5度に抑えることを追求するため、2050年までに使用エネルギーの100%脱炭素化を目指す「ゼロエミッション東京戦略」を策定してい

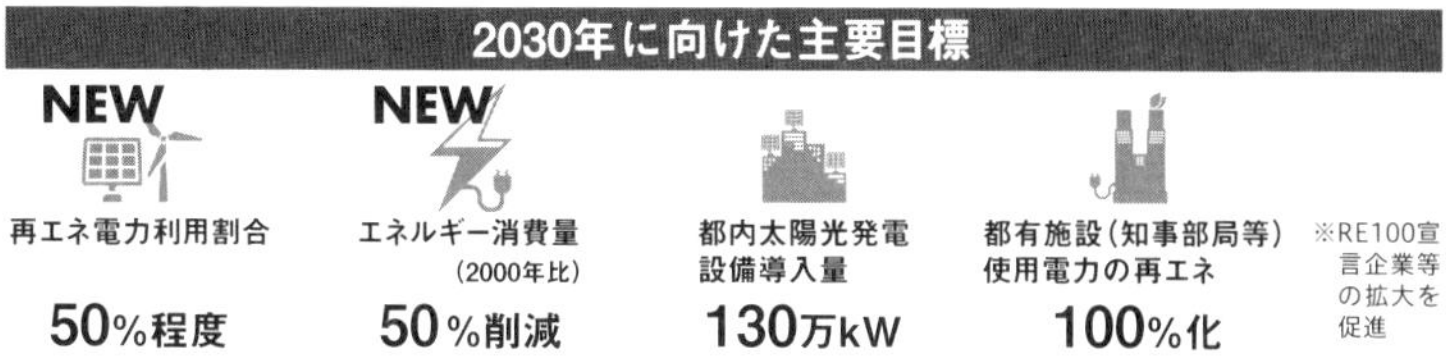

図2・9　東京都の再エネ目標（出典：東京都「ゼロエミッション東京戦略2020 Update & Report」）

る。東京都は年間電力消費量が約788億kWh（2018年度）にも上る世界有数の電力大消費地であり、2018年度時点の都内の再エネ電力の利用割合は15・3％に留まることから、目標はとても野心的と言える。また、2021年1月には、中間目標として、2030年までに都内温室効果ガス排出量を50％削減（2000年比）すること、再エネ電力利用割合を50％程度まで高めることも表明された（図2・9）。

電力大消費地という特性を踏まえた目標と施策

東京都におけるエネルギー戦略で特徴的なのは、電力大消費地であることを踏まえた目標設定、施策構築がされていることである。前述の再エネ目標は、都内への「導入量」ではなく、「利用割合」である。省エネを進めることでそもそもの電力使用量を減少させ、都外から再エネを調達することも含めて目標達成が目指されている。これは、大規模な再エネを都内に導入できる適地が少なく、都内への再エネ導入のみでは膨大な電力需要を満たすことが不可能なためである。エネルギーの大消費地である東京では、需要側から再エネ拡大の取組を牽引することが重要となる。

このような制約・特徴を踏まえ、都の再エネ普及施策には、エネルギーの需要側に立ち、消費者の再エネ選択を促す施策が展開されている。

施策例としては、まず、都有施設における再エネ調達が挙げられる。知事部局や上下水道などを含めた都有施設では、年間約3万TJという膨大なエネルギーを消費しており[※2・9]、東京都はエネルギーの大消費者でもある。2019年には、約3千万kWh／年もの電力を消費する第一本庁舎を100％再エネ電力に切り替えた。従来、自治体の公共施設の電力調達においては、CO₂排出係数などを基準に入札参加を制限し、入札に際しては価格で落札者を決定する「裾切り方式」が一般的だが、この再エネ100％電力調達では、これまでの再エネ供給実績や電源構成、電源産地などの観点を評価対象とした「総合評価方式」が採用されている。価格以外の「電気の中身」も重視した評価方式をとっている。

また、2021年度からは、都外での再エネ新規導入につながる電力調達を後押しするため、都外に再エネ発電設備を設置し、そこから得られた電気を都内施設に送る自己託送[注2・6]やオフサイトコーポレートPPA[注2・7]に対する補助を開始している。通常、自治体の補助事業は「自治体内」への再エネ設置が基本だが、自治体外に設置しても、そこから生まれた電気を自治体内で消費すれば補助対象となるというスキームは新しい。

この他、前述のキャップ＆トレード制度などによる再エネ電力利用を促す仕組や、再エネ電力の共同購入事業（共同購入については2-3-1で詳述）など、消費者の再エネ選択を促す施策が並ぶ。

豊富な予算と分厚い人員

都のエネルギー施策は、前述のほか新築建物向けの「建築物環境計画書制度」、中小企業向けの「地球温暖化対策報告書制度」、水素利用普及のための各種補助金・普及啓発、EV・PHV・FCVへの各種補助金・普及啓発など多岐にわたっている。また、補助金の予算額・補助率も軒並み高い。これができるのも、やはり豊富な予算と分厚い人員があるためである。2020年度の都全体の予算規模は、15兆4522億円であり、これはノルウェーの国家予算とほぼ同じである。このうち、気候変動対策関係予算としては、300億円を超えており、各種補助金や制度運用の費用に充てられている。また、80名程度が環境局地球環境エネルギー部に属し、再エネ・省エネ・水素利用・EVなどの普及といった地球温暖化対策関連業務に従事している。

日本の首都として、世界的な大都市として、東京都のエネルギー施策は、日本そして世界の自治体をリードしていくことが期待される。

2-3 注目の自治体再エネ新施策

エネルギー分野のビジネスモデルは日々進化しており、それに呼応して、自治体による新しい再エネ普及施策も現れてきている。ここでは、近年注目される自治体の新施策について紹介したい。

1 太陽光発電・再エネ電気の「共同購入」

太陽光発電や再エネ電気を対象とした自治体主導の「共同購入」が拡大している。実施自治体は、これまでの補助金や普及啓発に替わる再エネの導入・利用拡大策として期待を寄せる。また、利用する市民は、行政主導の安心感があり参加しやすく、共同購入による価格メリットを受けることができる。

「共同購入」を行う自治体が続々と

2019年5月に神奈川県が太陽光発電を対象とした共同購入事業をスタート。2020年4月には大阪府が、同年5月からは京都市が、太陽光発電に蓄電池を加えた共同購入の参加者募集を開始している。また、2019年12月から東京都が、2020年1月から大阪府吹田市が、それぞれ再エネ電力を対象とした共同購入事業を開始している。

これらすべての共同購入事業では、入札の実施や参加希望者からの問合せ対応などを担う共同実施者（支援事業者）として、アイチューザー㈱が選定されている。アイチューザーは2008年にオランダで設立され、これまでオランダやベルギーなどの自治体などと共同購入事業を展開。同社の日本法人設立に伴い、自治体関与の共同購入事業が日本でも拡大してきている。

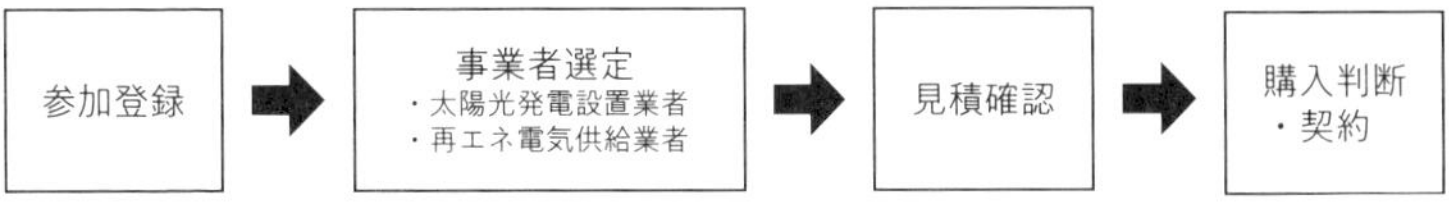

図2·10　共同購入の流れ

自治体にとっては予算も手間も少なくてすむのが魅力

共同購入の一般的な手順は、①自治体が共同購入への参加を呼びかけ、希望者は自身の情報をWEBサイトに登録、②入札により事業者を決定、③参加登録者に対し個別見積りを送付、④参加登録者は契約するかを決定（辞退しても費用負担なし）といったステップである（図2・10）。入札に際しては、例えば再エネ電気が対象であれば、非FIT再エネ30％以上などといった要件を自治体が付すことが一般的だ。

一般家庭における太陽光発電設置や電力切り替えでは、多くの事業者から1社を選ぶことが面倒と感じられることもあり、結果的に検討されなくなってしまうといった課題があった。共同購入事業では、自治体からシンプルなプランを提案することで、購入者の意思決定がしやすくなっている。これは、「行動までの障壁を減らす」「人々は、誰から伝達された情報かに強く影響を受ける」といった行動科学の要素が取り入れられている。また、登録時点では購入の義務を負わず、個別見積もりが送付されてから購入の判断ができることも参加へのハードルを下げている。

これまで行われている共同購入の事業スキームは、基本的に自治体は大きな予算を計上する必要はなく、WEB製作や参加者への問合せ対応などの経費はアイチューザーが負担する（アイチューザーは事業者からのサービスフィーを得る）。また、自治体は広報紙やSNSなどで事

図2・11　大阪府・大阪市の太陽光発電・蓄電池共同購入の特設ウェブサイト

業広報を実施するが、入札や問い合わせ対応などはアイチューザーが実施するため、自治体の手間はそれほど大きくはならない。共同購入事業が自治体に受け入れられているのは、予算も手間もかからないという点も大きい。

自治体主導の共同購入事業は成約率が高い

２０１９年の神奈川県の太陽光発電共同購入の実績は、参加登録が４４６件、このうち事業者からの見積を承諾したのが１５２件、契約に至ったのが74件となっている。参加登録から見積もり承諾までのコンバージョン率は37%であり、欧州に比べても高いという。一方で、見積もり承諾から契約までには現地調査などがあり、屋根の形状や日当たりなどの影響で契約に至ったのが74件となっている。価格は、共同購入のメリットが出て、市場価格より約26%低減された。

大阪府・大阪市による太陽光発電・蓄電池の共同購入（２０２０年度）は、参加登録２０９４件、導入は97件となっている（図２・11）。卒ＦＩＴ家庭などによる蓄電池のみの購入希望も多いという。価格については、市場価格より太陽光パネルのみの場合17%、太陽光パネル・蓄電池の場合14%、蓄電池のみの場合17〜23%低減された。

また、再エネ電力の共同購入については、東京都が4334件（2019年度実施分）、吹田市が836件（2019年度実施分）の参加登録を集め、東京都では、東京電力「従量電灯B」相当プランで約7%、「従量電灯C」相当プランで約14%電気料金が安くなっている。

その後、両自治体とも近隣自治体連携により共同購入の対象範囲を拡大しており、2021年度は、首都圏10自治体（埼玉県、千葉県、東京都、神奈川県、栃木県、横浜市、川崎市、千葉市、さいたま市、相模原市）のグループと、大阪府で、それぞれ共同購入が実施されている。

太陽光発電の共同購入に歴史あり

近年、盛り上がりを見せてきた自治体の共同購入事業だが、過去にも自治体の方針のもと、共同購入に係る事務（申込受付窓口、広報、啓発、販売促進など）を第三セクターが担って実施されたことがあった。

「太陽光発電推進のまち　おおた」都市宣言をしている群馬県太田市においては、2011年に一般財団法人地域産学官連携ものづくり研究機構（太田市と太田商工会議所が出資）によって、太陽光発電の共同購入が実施された。同機構は、設置者の募集や太陽光パネルメーカーおよび施工業者の選定などを行い、パネルメーカーとしては、ソーラーフロンティアが選定された。この共同購入では、戸建て向け1千件、集合住宅向け250件が募集され、戸建て向けが120件（416kW）、集合住宅向けが48件（計408kW）契約されている。

また、2012年には、世田谷区において区の出資する㈱世田谷区サービス公社が、「せたがやソーラーさんさん事業」として、区民を対象に太陽光発電を1千件募集した。太陽光発電の事業者は、提案・プロポーザル方式で審査が行われ、シャープアメニティシステム㈱が選定された。結果は、2012年度実績で、見積申込件数593件、契約件数196件、施工件数193件と一定規模の太陽光発電が設置された。90万人以上を抱える都内最大人口の基礎自治体とはいえ、基礎自治体で約200件の設置に結びついたことについて、当時の関係者は「区長などの積極的な発信により、多くの方に関心を持ってもらい、一定の申し込み・契約があった。世田谷区サービス公社が窓口となり、問合せに丁寧な対応がなされたことも大きかった」と振り返る。

工夫すれば小規模自治体でも展開できる

共同購入は参加者を多く集めることで価格低減を引き出す事業モデルであるため、現在の共同購入事業は大都市圏の広域自治体メインで展開されている。

では、小規模な基礎自治体で展開する余地はないだろうか。小規模自治体の場合、規模を広げるため近隣の自治体とともに実施することが考えられる。また、過去に太田市や世田谷区が実施したように、地域の第三セクターなどで他の環境普及啓発事業と併せて実施することも考えられる。共同購入事業は自治体の太陽光発電や再エネ利用普及策の次の一手となり得る。

共同購入事業の可能性としては、これまでは太陽光発電や再エネ電気を対象に事業が展開されているが、EVなど自治体が推進したい設備・機器を対象に加えることも考えられる（EVの共同購入は、サンフランシスコなどで事例がある）。

また、現在の共同購入の対象は一般家庭が中心だが、事業所向けに特化した共同購入の展開も考えられる。例えば、自治体よりもっと小さなコミュニティである商店街・商工会などで電気の共同購入を企画するのはどうだろうか。本業に忙しい各事業者が、それぞれ詳細に電気の中身を確認しながら選ぶのには限界があり、コミュニティでの一括選択は各事業者の負担を軽減する。また、「電気を選ぶ」ことで、そのコミュニティのブランディングにもつながる。

地元企業の経営に打撃を与えないようにする

一方で懸念もある。共同購入は、基本的に、太陽光発電の施工事業者や小売電気事業者を1社に絞って低価格を引き出す事業モデルである。これらの事業者にとっては、営業・広告費の削減や大口の受注による仕入れ単価低減が期待でき、販売価格を割引くことができるという建付けだが、入札では価格勝負のため、価格のたたき合いになるおそれもある。そうなると地域事業者の持続的な経営に打撃を与えることも懸念される。2010年頃に話題となった共同購入型クーポンサイトでは、購入者が一定数に達した商品やサービスが大幅に値引きされるものだった。しかしながら、大幅値引きにより店舗側の経営が厳しくなってしまうことなどから、持続的な盛り上がりにはならなかった。共同購入事業においては、地域の事業者の実情なども踏まえて、事業者に地域要件をつけたり、複数者を選定するなどその地域における持続可能な制度設計が求められる。

また、共同購入対象の要件については、自治体の行政目的（地域脱炭素化、地域経済循環など）を明確にし、それに合わせた事業者や共同購入対象の要件を設定する必要がある。これは、自治体の重要な役割であり、安易に他事例の要件を横びくことなく、行政目的の持続可能な達成につながるよう、地域の実情を踏まえた設定が必要だ。

今後、共同購入が自治体や地域コミュニティの選択肢の1つとなり、これまで太陽光発電や再エネ電力などに関心のなかった層にアプローチされ、地域での持続可能な導入拡大のきっかけとなっていくことが期待される。

2 大都市（需要地）×地方（生産地）が連携した再エネ拡大

建物が密集しており広大な土地の少ない都市部では、風力発電やバイオマス発電といった大きな電力量が期待できる再エネ設備の立地が困難なことが多い。一方で、脱炭素機運の高まりの中、再エネを調達できるということが、地域に競争力をもたらしつつある。

このような中、これまで自治体内への設置一辺倒であった都市の再エネ施策に、再エネポテンシャルの大きい地方と連携し、再エネを調達する施策が加わってきている。

横浜市×東北12市町村

横浜市は、2050年までのゼロカーボンを目指すが、横浜市の再エネ供給ポテンシャルは、2050年

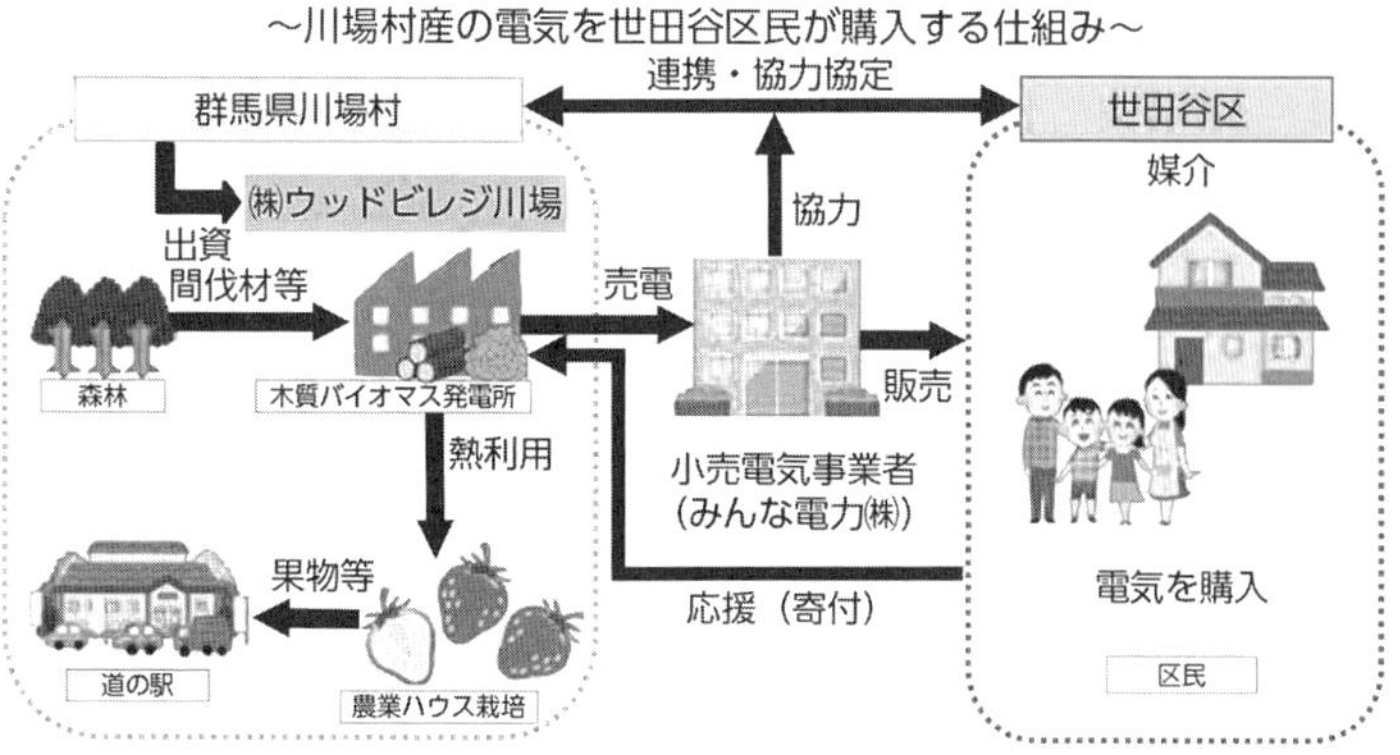

図2·12　川場村と世田谷区の連携
（出典：環境省「第3回地球温暖化対策の推進に関する制度検討会」2020年12月）

の市内電力消費量のおよそ8%と試算され、市内で発電される再エネ由来の電力だけでは不十分なことが分かっている。そこで、再エネ資源を豊富に有する東北の12市町村と「再生可能エネルギーに関する連携協定」を2019年2月に締結。[注2・8] 横浜市内企業が、東北の再エネ電力を調達しやすくする取組を進めている。

世田谷区×川場村

東京都世田谷区は群馬県川場村と協定を結び、川場村のバイオマスにより発電された電気を世田谷区民が購入できる取組を実施している（図2・12）。川場村には木材コンビナートがあり、そこから発生する端材やチップを活用した木質バイオマス発電が行われている。一方の世田谷区は都心の住宅街であり、大きな電力消費地である。世田谷区と川場村は、1981年から縁組協定を結んでおり、世田谷区小学生の川場村での農業体験、世田谷区イベントでの川場村の農産物の直売所設置や伝統芸能披露など様々な交流が行われてきた。この縁で、再エネ連携も実現している。

この他にも、復興支援や再エネ活用促進を目的に、友好都市協定を結ぶ宮城県気仙沼市にあるバイオマス発電からの電気を目黒区が小中学校や公共施設で利用するなどの例がある。このように大きな需要を抱える都市自治体が再エネ資源豊富な地方から再エネを調達する流れができつつある。

再エネ開発地域のメリット創出が重要

このような地方連携での都市の再エネ調達には留意点もある。再エネ電力を調達する都市が、いかに再エネ開発地域の発展に貢献できるかという点である。この点は横浜市も重視しており、前述の東北12市町村連携の中で、市内事業者である㈱まち未来製作所と連携し、電気代の一部を地域活性化資金として、再エネ立地自治体の地域活性化に活用する実証を行っている。

海外の先進事例では、コペンハーゲンの都市公社であるHOFORが、風力発電のポテンシャルの高いロラン島における風力発電開発に際し、雇用の創出をはじめ、バイオマス、食料、エコツーリズムなど地域活性化に資する幅広い協定をロラン市と締結した事例がある。開発地域との関係を強め、再エネ開発を開発地域の発展につなげる姿勢が明確だ。

他の地域の再エネを調達し、自身のゼロカーボン化に活用する本スキームは、ともすると都市の再エネ電気を作るための迷惑施設を地方に押し付けているという批判につながりかねない。都市向けに開発される再エネによって開発地域に地域経済効果をはじめとしたメリットがどれだけ出るのかがしっかり共有され、両者がともに発展していくことが重要である。

3　再エネの「促進地域」設定―ポジティブゾーニング

2021年5月に地球温暖化対策推進法（温対法）が改正された。同改正では、2050年までに脱炭素社会を実現するという意欲的な目標が設定され、そのための施策の柱の1つとして、再エネ導入など地域脱炭素事業を促進する「促進区域」を設定するよう市町村の努力義務が規定された。

日本では、メガソーラーの地域トラブルなどを背景に、太陽光発電などの設置に市町村が条例などでハードルを設けるいわゆるネガティブゾーニングが行われてきた。一方、この「促進地域」は、指定されたエリアに再エネ導入を促すもので、ポジティブゾーニングと呼ばれる。自然環境などへの影響が少なく、地域トラブルが起こりにくいと思われる「促進地域」において、地域と共生した再エネの導入拡大が目的とされる。

促進区域の設定を目指す能勢町

実際に促進区域設定を目指す大阪府能勢町の事例を紹介したい。能勢町は、土地が山林78%、耕地10%、宅地等12%という里山景観のある町である。同町は豊かな自然環境を次世代に継承するため2021年に2050年までのゼロカーボンを表明。ゼロカーボン実現のためには2050年までに再エネ導入量を2021年の約4倍である約36MW（太陽光発電31.5MW、風力発電4.5MW）とする必要があると試算する。

一方、太陽光発電などによる里山の景観悪化などに強い懸念を示す住民も少なくないことから、同町では、景観などを守ったうえで再エネ導入を加速させるため、ゾーニングの設定を決めた。住民参加型で、再エネへの理解を促進するとともに、適地・不適地の選定を行うこととしている。

ゾーニングの検討にあたっては、まず、自然保護区域や動植物保護において重要となる区域、土砂災害警戒区域などといった再エネ開発が不可能または望ましくない区域が除かれた。また、能勢町の再エネポテンシャルから、導入可能性のある太陽光発電と風力発電について傾斜地の影響や風況などを踏まえ、設置可能と考えられるエリアが割り出された。

次に、地域のステークフォルダーである農業委員会、自治会、森林組合、観光協会、商工会、自然保護団体、文化財保護審議会などにヒアリングが行われ、意見・懸念点の洗い出しが行われた。

ヒアリングでは、再エネ開発事業を通じて、草刈りや林道整備などの地域メリット、地域が潤うことに期待する声があり、遊休農地の活用提案もあった。一方で、太陽光発電についてはパネル廃棄や森林伐採への懸念、風力発電については機器倒壊への懸念、そして、多くのステークフォルダーから能勢町の里地里山の景観が守られるかという懸念相次いだ。加えて、再エネ事業自体の事業採算性を懸念する声も見受けられた。

ゾーニングの検討は2022年2月時点でも継続しているが、これらヒアリング結果を受け、能勢町ではステップを踏んだゾーニング設定・再エネ導入を想定する。特に景観への懸念が強かったため、まずは、景観に影響の少ない公共施設の屋根及び住宅屋根への太陽光発電設置を最大化する方向である。しかし、それだけではゼロカーボンの目標に届かないため、「2050年での能勢町のあるべき姿を丁寧に説明して、理解をもとめていくしかない」とし、公共用地や民地を含めた促進区域検討のため丁寧な説明・調整を継続す

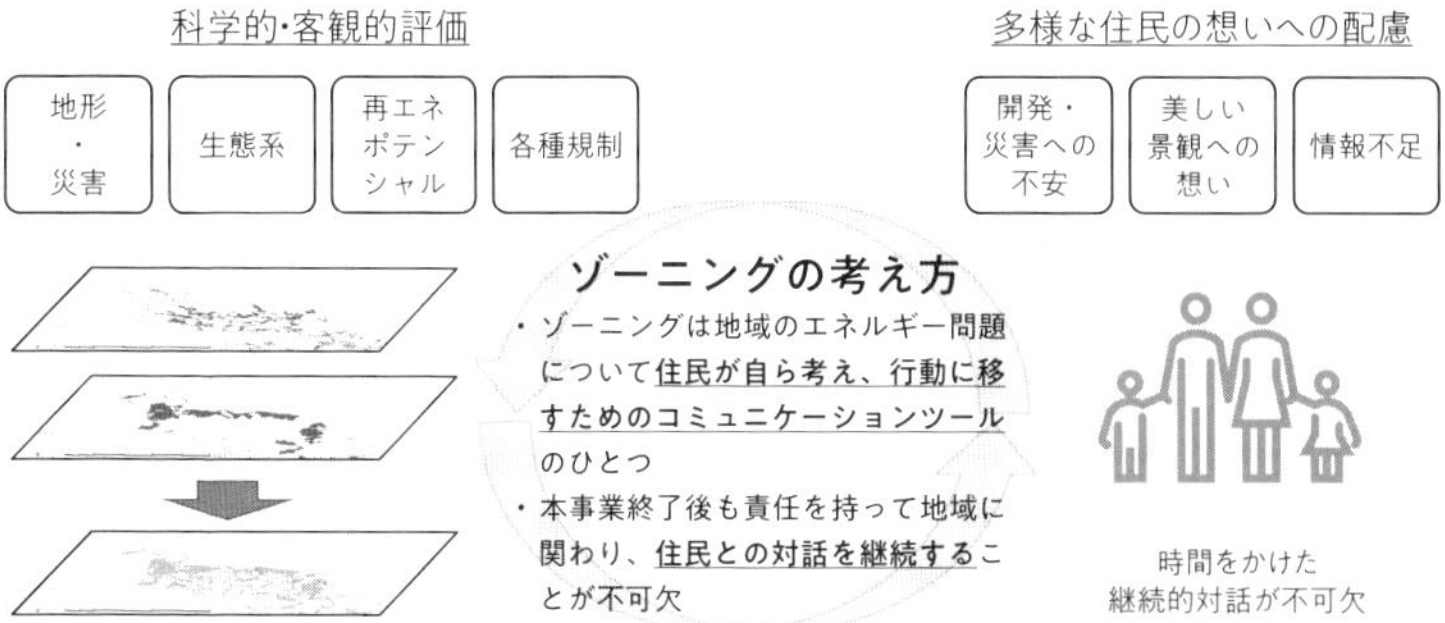
科学的·客観的評価
地形・災害
生態系
再エネポテンシャル
各種規制
多様な住民の想いへの配慮
開発・災害への不安
美しい景観への想い
情報不足
ゾーニングの考え方
・ゾーニングは地域のエネルギー問題について住民が自ら考え、行動に移すためのコミュニケーションツールのひとつ
・本事業終了後も責任を持って地域に関わり、住民との対話を継続することが不可欠
時間をかけた継続的対話が不可欠

図2·13　能勢町でのゾーニングの考え方（提供：能勢町）

ることとしている。

住民参加でのゾーニング

能勢町は、ゾーニングを地域エネルギー問題について住民が自ら考え行動に移すためのコミュニケーションツールの1つと位置付ける（図2・13）。住民の多様な想いに配慮しながら、時間をかけた継続的な対話が不可欠との認識だ。

また、ゾーニングは、押しつけではなく地域住民で創り上げることが重要との認識のもと、今後、住民ワークショップなどを通じて、ゾーニングマップを作成することとしている。そして、ゾーニングマップ作成後には、市民出資など住民参加での太陽光発電開発なども検討される予定だ。住民参加での促進地域設定・再エネ開発は、時間はかかるかもしれないが、地域に愛され、地域に裨益する再エネを拡大する1つの重要な方法として、他の自治体にも示唆的である。

「促進地域」の効果は未知数

始まったばかりの「促進地域」設定であるが、その効果や全国的な広

らの電力を代替電力として選択している。ここで、CCAの手法をとっているため、電力供給元がSFPUCに切り替えられたとしても、送電や配電、料金請求はこれまでどおりPG＆Eが行う。

図2·14　カーボンフリー電力でサンフランシスコ市内を走るMUNIバス

サンフランシスコ市民の電気は、何もしなければ自動的にSFPUCの供給する電気に切り替えられるが、これまで通りPG＆Eからの供給を希望する市民・事業者は、申請によりCCAに参加しない（Opt–Out）ことも可能となっている。

SFPUCの電気メニューは、再エネ割合50％の「Green」と100％の「Super Green」の2種類があり、「Green」に自動的に切り替わる。これまでのPG＆Eの電気とほぼ同価格で、より再エネ割合の高い電気を使えることになる。「Green」の電気代に少額を追加すると、100％再エネ「Super Green」に切り替えることができる。SFPUCは市民に対し、「Super Green」への切り替えを呼びかけている。

サンフランシスコの取組の背景には気候変動対策への高い意識がある。同市は港町として有名で多くの観光客が訪れるが、最近の研究では、このままではサンフランシスコ湾の海面が、2100年に66％の確率で30～100cm上昇するとされている。[※2-11]そのような事態は港町サンフランシスコ市にとって死活問題であり、気候変動対策は自分事なのである。サンフランシスコは、これまでも温室効果ガスの排出を1990年から2019年にかけ41％削減した。[※2-11]同期間でGDPは199％増加、人口は22％増加しているにも関わらず、温室効果ガスの大幅削減に成功している点も注目に値する。今後は、2025年までに電力を100％再エネ化し、2040年までに熱部門も含めたエネルギーを100％再エネ化する目標を掲げる。環境先進都市サンフランシスコは、世界の自治体の気候変動対策をけん引する。

column

サンフランシスコが町全体で再エネ電力を選ぶ理由

サンフランシスコのあるカリフォルニア州では、州法により2つの方法で、市が電力販売に関与できるようになっている。まず1つ目の方法は、市が公共電力会社（Publicly–Owned Utility：POU）を運営し、発電、送電、配電を行う方法である。

2つ目は、コミュニティ・チョイス・アグリゲーション（CCA）と呼ばれる手法で、市が家庭や事業者の電力需要を束ねた上で、電力供給事業者や電気の種類を選択するものだ。自治体が市内電力需要家の電力契約を代行して代替となる電力供給事業者と交渉する。CCAにより、自治体主導で再エネの比率の高い電力などを、交渉力を持って購入することが可能となる仕組みだ。電力供給事業者が切り替わったとしても、送電・配電などはこれまでの電力会社が行うのがCCAのポイントである。

カリフォルニア州では、2000～2001年に発生した電力危機を受けて小売全面自由化が中断しており、家庭用電力は基本的に地元の電力会社からしか購入できない。そのため、市民への選択肢の提供などの観点からCCAが導入されている。

サンフランシスコ市公営事業委員会（SFPUC）は、公共電力会社（POU）として、これまで公共施設や路面バスなどに対し、市所有の水力発電からの電気を主電源として電気供給を行ってきた。一方で、家庭や民間事業所などは、民間電力会社であるPG＆Eの地域独占であった。このような中、SFPUCは「すべての家庭と80％の商業ビルの電力を、100％再エネ電力とする」という目標を掲げ、2016年5月よりCCAにより家庭や商業ビルなどに対してもエコな電気の供給するプロジェクト「Clean Power SF」を開始した。

通常、CCAでは需要を束ねる自治体が、価格や再エネ比率などを考慮して代替電力を選ぶが、サンフランシスコ市のケースでは、SFPUCが自

がりは未知数だ。日本では、土地開発をする際の法規制を受けないエリアが存在し、また都市計画法や農振法などの適用はされるが規制が極めて弱い地域（いわゆる白地地域）も広範に存在する。[※2・10]促進地域内でなくても開発が可能であるため、土地所有者が自由に開発できないドイツなどと比べて、促進区域へ誘導する力は弱くなる。そのため、敢えて促進区域で開発するメリットを開発事業者に付与しないと促進区域内に誘導できない。

温対法では、促進区域への誘導策として、関係法令の手続ワンストップ化が用意されたが、これは許可要件まで緩和するものではない。また、事業者から見ると、促進区域内で再エネ開発を行うことで協議会への参加などが必要になり、自由な開発が制約され、地域への寄付金などの地域貢献も求められるかもしれない。事業者が、あえて促進区域内での実施の建設を選択するだろうかという疑問の声もある。[※2・10]

また、能勢町のように、2050年までのゼロカーボンを宣言し、明確で野心的な再エネ目標を定め、そのための「促進地域」設定の必要性まで含めて認識している自治体は多いとは言えない。認識していたとしても、促進地域設定には、各種調査と、そして多様なステークフォルダーとの「合意形成」という手間のかかる調整プロセスが必要になる。自治体が促進地域設定に向けて始動するためには、自治体内で相当の熱量が必要となるのである。促進地域が全国に広がるためには、再エネ導入によって地域にメリットが生まれるという認識が共有されることが不可欠だ。

種々の課題はあるものの、促進地域は上手く機能すれば、現状の再エネに係る地域トラブルを防止し、地域と共生した再エネを拡大する有用な方法の1つである。国内であまり例がなく、実務的にも簡単とは言えない促進地域の設定について、能勢町での住民参加での模索から得られる知見・ノウハウが全国自治体にも共有され、より実効性ある促進地域が拡大することが期待される。

注釈

注2・1　5千kWの太陽光発電導入により、地域住民・企業に年間最大約1・8億円程度の経済波及効果が出ると試算されている。ただし、再エネ導入の地域経済効果は、実施主体が地域企業なのか、設置工事を誰が請け負うのかなど、事業の経営・運営方法により大きな差が出る。

注2・2　2021年10月27日発表時点。このうち日本企業は、半導体パッケージ関連製品を供給するイビデン（岐阜県大垣市）など20社。

注2・3　具体的な取組を積み重ね行政課題を解決していく手法（フォアキャスティング）に対して、理想的な未来の姿から逆算し、現在取り組むべき施策を考える手法をバックキャスティングという。

注2・4　ナッジ（nudge：そっと後押しする）とは、行動科学の知見（行動インサイト）の活用により、人々が自分自身にとってより良い選択を自発的に取れるように手助けする政策手法のこと。

注2・5　オンサイトPPA（Power Purchase Agreement：電力購入契約）とは、太陽光発電の所有・管理を行う会社が、施設の屋根を借りて太陽光発電を設置し、発電された電力をその施設へ有償提供する仕組み。施設所有者は太陽光発電の初期投資が不要で、メンテナンスもする必要がない契約が一般的。

注2・6　自己託送とは、遠隔地にある自社（または子会社など、密接関係会社）発電所で発電された電気を、小売電気事業者を介さずに一般送配電事業者の送電網を通じて自社（または子会社など、密接関係会社）施設へ送電する仕組み。

注2・7　コーポレートPPAとは、需要家（企業など）が発電事業者から電力を固定価格で長期間購入する電力購入契約。

注2・8　その後1町追加され、2021年12月時点で13市町村。

参考文献

※2・1　櫻井あかね「固定価格買取制度導入後のメガソーラー事業者の地域性」『日本エネルギー学会誌』97巻12号、379-385頁、2018年12月
※2・2　松尾雄介『脱炭素経営入門』日本経済新聞出版、42頁、2021年11月
※2・3　RE100ウェブサイト　https://www.there100.org/re100-members
※2・4　JCLPウェブサイト　https://japan-clp.jp/climate/reoh
※2・5　再エネ100宣言 RE Action協議会ウェブサイト　https://saiene.jp/
※2・6　トヨタイムズ「CO_2と雇用の関係　豊田章男の危機感」https://toyotatimes.jp/toyota_news/130.html
※2・7　環境ビジネス編集部「再エネの可能性を広げるゼロエミッション・データセンターに挑戦！」環境ビジネスオンライン、2019年04月22日号　https://www.kankyo-business.jp/column/022292.php
※2・8　西野寿章「日本における公営電気事業の系譜と今日的再評価への視点―戦前の県営電気の成立と背景」『經濟論叢』190（4）、13~38頁、2017年
※2・9　藤井康平・片野博明・小谷野眞司「都有施設におけるエネルギー消費の実態と省エネポテンシャルの推計」『東京都環境科学研究所2019年年報』2020年
※2・10　髙橋寿一「ポジティブ・ゾーニングに関する一考察―ドイツ法の構造と若干の日独比較」『京都大学大学院経済学研究科再生可能エネルギー経済学講座コラム』No. 279
※2・11　SAN FRANCISCO'S CLIMATE ACTION PLAN 2021

その他の参考文献

・Sharma Anjali Krishan, Suwa Aki, Inagaki Kenji, "TOKYO Smart Global Megacity" *Smart Global Megacities: Collaborative Research Tokyo, Delhi, Mumbai, Lagos, NewYork, Hong Kong–Shenzhen, Calcutta, and Bangalore* (Editor:T. M. Vinod Kumar), Springer, 2021

謝辞

2-3-3の作成にあたっては、能勢町地域振興課古畑様、大日野様、総務課矢立様、能勢・豊能まちづくり渡邊様、北橋様にヒアリングにご対応いただくとともに、資料提供いただきました。厚く御礼申し上げます。

第3章

地域新電力を徹底分析！

3-1 全国に広がる自治体関与の「地域新電力」

相次ぐ地域新電力の設立

自治体の地域脱炭素化への関心は高まりを見せており、ゼロカーボン宣言を行う自治体も急速に拡大している。また、地域エネルギー事業により、地域経済循環を図れるという認識も広がりつつある。

そのような中、自治体が出資や協定で関与し、地域の再エネなどを電源として地域に電気販売を行う「地域新電力」の設立が相次いでいる。約80を数え、実行可能性調査中の自治体もあることから、今後の増加も見込まれる。政府も環境基本計画（２０１８年４月閣議決定）において地域新電力の推進を明記するなど、脱炭素化の担い手として地域新電力に期待している。

東日本大震災とそれに伴う計画停電を経験し、これまで国の専管のように扱われてきたエネルギー政策は自治体でも大きな課題となった。多くの自治体でエネルギービジョンなどが策定され、再エネの導入が行われた。現在の地域新電力設立の動きを見ると、これまで再エネ導入に力を入れてきた自治体が、次のステップとして、地域経済循環などを目的に再エネ電源を活用した地域新電力に取り組む傾向が見て取れる。

地域エネルギーやマスタープランから生まれる地域新電力構想

現在、設立されている地域新電力の多くは、国の支援により策定された地域エネルギー計画などが発端となっている。例えば、「地産地消型再生可能エネルギー面的利用等推進事業費補助金」（経済産業省）において滋賀県湖南市、鹿児島県いちき串木野市、鹿児島県肝付町、奈良県生駒市などが、「スマートコミュニティ導入促進事業」（経済産業省）において宮古市、北上市などが、「分散型エネルギーインフラプロジェクト・マスタープラン策定事業」（総務省）において山形県、鳥取県鳥取市、同県米子市などが計画策定を行い、その中で地域新電力が検討され、設立に至っている。いずれの地域新電力も、まちをどうしたいか、地域でのエネルギー政策をどうしたいかを出発点として構想されたものとなっている。

欧州では、都市計画と地域エネルギー計画の検討が合わせて行われていることが多いが、日本では所管部署が異なることなどから検討が一体化されていない自治体も少なくない。公共交通の在り方やコンパクトシティによる低炭素なまちづくり、地域熱供給の計画、レジリエンスも踏まえたエネルギー供給計画などは都市計画と地域エネルギーを一体で考える必要がある。今後、都市計画や街づくり計画策定の際に、地域エネルギー計画も一体として検討されることが重要である。

3-2 全国74の地域新電力を総力調査！

全国に広がる地域新電力の現状はどうなっているのか、課題はあるのか、成功しているのか。筆者らは、2020年及び2021年に自治体が関与する地域新電力について、その事業形態・経営実態を明らかにするための調査を実施している[※3・1、3・2]（表3・1）。ここでは、自治体出資の目的、出資構成、従業員数、販売電力量、排出係数について、2021年7月に行った74地域新電力に対する文献調査の結果を紹介するとともに、調達電源、供給先、業務の内製化の状況、事業の将来展望について2020年2月から3月に行った40地域新電力に対するアンケート調査の結果を紹介する。なお、調査対象とした地域新電力は、自治体が出資しているもの、または自治体と協定を結んでいるものなどとしている[注3・1]。

1　設立数の推移

まず、設立数の変化を見てみたい。図3・1は小売電気事業者登録を行った地域新電力数を年度ごとに整理したものである。地域新電力の設立数は2018年度をピークに近年は減少傾向にあるが、ゼロカーボンシティ実現に向けた施策の1つとして実行可能性調査を行う自治体もあり今後も一定数の設立が見込まれる。

一方で、足元における卸電力市場の高騰（3-6参照）など事業環境が不安定な状況にあり、逡巡する自治体も少なくないことから、今後の設立ペースは不透明だ。

2 設立経緯による分類

次に、地域新電力の設立経緯を整理したい。設立経緯は、①既に主力事業があり、小売電気事業を途中から追加した社（12社）、②設立当初から小売電気事業を主力として実施している社（62社）に分けることができる。①の12社を表3・2に挙げる。電力以外の地域インフラなどを担う社が、同様のインフラである小売電気事業を業務追加している。地域ガス会社が目立つが、地域ガス会社の小売電気事業参入のメリットとしては、現有顧客に対してガスとのセット割引などでの営業が可能であることや、顧客管理・料金請求業務などをガスと一括で行えることなどが挙げられる。

ガス会社以外でも、既に実施していた主力事業と新たに開始した小売電気事業と間に一定の親和性を有する社が多い。たとえば、東京エコサービスは、運転管理する清掃工場における廃棄物発電からの電力を調達し、都内の小中学校に販売している。

また、これら小売電気事業を途中から追加した社の参入目的については、

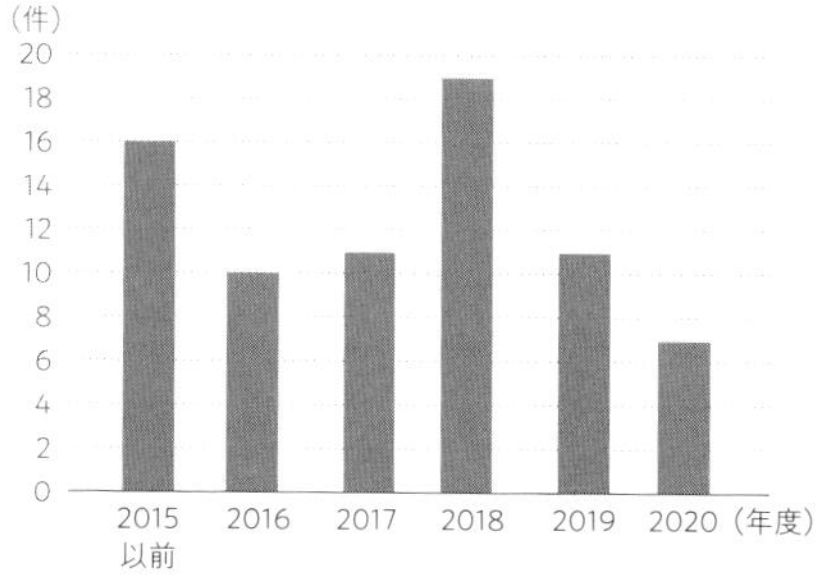

図3・1　小売電気事業者登録を行った地域新電力数

松阪新電力(株)	三重県	松阪市	2017年11月	2018年3月	880	51%	当初
(株)ぶんごおおのエナジー	大分県	豊後大野市	2017年10月	2018年5月	2,000	55%	当初
(一社)塩尻市森林公社	長野県	塩尻市	2017年 4月	2018年5月	NA	NA	追加
亀岡ふるさとエナジー(株)	京都府	亀岡市	2018年 1月	2018年6月	800	50%	当初
ふかやｅパワー(株)	埼玉県	深谷市	2018年 4月	2018年6月	2,000	55%	当初
(株)ところざわ未来電力	埼玉県	所沢市	2018年 5月	2018年7月	1,000	51%	当初
(株)かみでん里山公社	宮城県	加美町	2018年 4月	2018年10月	900	67%	当初
秩父新電力(株)	埼玉県	秩父市	2018年 4月	2018年10月	2,000	95%	当初
みよしエナジー(株)	徳島県	東みよし町	2018年11月	2018年10月	2,500	8%	当初
(株) karch	北海道	上士幌町	2018年 5月	2018年10月	840	60%	当初
飯田まちづくり電力(株)	長野県	飯田市	2018年 3月	2018年11月	1,000	0%	当初
銚子電力(株)	千葉県	銚子市	2018年 6月	2018年12月	999	50%	当初
(株)美作国電力	岡山県	津山市	2018年 7月	2018年12月	3,000	NA	当初
丸紅伊那みらいでんき(株)	長野県	伊那市	2018年 6月	2019年1月	5,000	10%	当初
加賀市総合サービス(株)	石川県	加賀市	2006年10月	2019年1月	5,000	100%	追加
スマートエナジー熊本(株)	熊本県	熊本市	2018年11月	2019年2月	10,000	5%	当初
福山未来エナジー(株)	広島県	福山市	2018年12月	2019年2月	10,000	10%	当初
五島市民電力(株)	長崎県	五島市	2018年 5月	2019年2月	3,210	0%	当初
グリーンシティこばやし(株)	宮崎県	小林市	2017年 3月	2019年2月	2,000	90%	当初
(株)ミナサポ	長崎県	南島原市	2018年10月	2019年3月	500	50%	当初
気仙沼グリーンエナジー(株)	宮城県	気仙沼市	2019年 4月	2019年7月	5,000	10%	当初
(株)三河の山里コミュニティパワー	愛知県	豊田市	2019年 6月	2019年8月	990	0%	当初
新潟スワンエナジー(株)	新潟県	新潟市	2019年 7月	2019年8月	5,000	10%	当初
(株)唐津パワーホールディングス	佐賀県	唐津市	2019年 7月	2019年10月	2,000	0%	当初
(株)かづのパワー	秋田県	鹿角市	2019年 7月	2019年10月	990	49%	当初
たんたんエナジー(株)	京都府	福知山市	2018年12月	2019年11月	2,000	0%	当初
(株)西九州させぼパワーズ	長崎県	佐世保市	2019年 8月	2019年11月	3,000	90%	当初
(株)能勢・豊能まちづくり	大阪府	能勢町・豊能町	2020年 7月	2019年11月	950	32%	当初
うべ未来エネルギー(株)	山口県	宇部市	2019年11月	2020年2月	1,000	35%	当初
陸前高田しみんエネルギー(株)	岩手県	陸前高田市	2019年 6月	2020年2月	1,000	10%	当初
東広島スマートエネルギー(株)	広島県	東広島市	2020年 2月	2020年3月	1,000	NA	当初
(株)岡崎さくら電力	愛知県	岡崎市	2020年 3月	2020年5月	1,000	51%	当初
葛尾創生電力(株)	福島県	葛尾村	2018年10月	2020年10月	4,200	52%	当初
高知ニューエナジー(株)	高知県	須崎市	2020年 6月	2020年10月	6,200	29%	当初
(株)ながさきサステナエナジー	長崎県	長崎市	2020年10月	2020年10月	5,000	35%	当初
穂の国とよはし電力(株)	愛知県	豊橋市	2020年10月	2020年12月	5,000	33%	当初
かけがわ報徳パワー(株)	静岡県	掛川市	2020年 7月	2020年12月	2,990	33%	当初
(株)ほくだん	兵庫県	淡路市	1997年11月	2021年3月	17,870	95%	追加

表3・1　調査対象とした74地域新電力（2021年7月実施）

	自治体新電力名称	都道府県	区市町村	設立年月	小売電気事業登録年月	資本金額（万円）	自治体出資割合	電力 売当 追
1	東京エコサービス㈱	東京都	23区	2006年10月	2010年4月	20,000	60%	追加
2	(一社)中之条電力（中之条パワー）	群馬県	中之条町	2013年8月	2013年10月	300	40%	当初
3	(一財)泉佐野電力	大阪府	泉佐野市	2015年1月	2015年4月	600	67%	当初
4	北海道瓦斯㈱	北海道	札幌市	1911年7月	2015年10月	752,000	NA	追加
5	㈱中海テレビ放送	鳥取県	米子市	1984年11月	2015年12月	49,000	NA	追加
6	㈱北九州パワー	福岡県	北九州市	2015年12月	2016年1月	6,000	24%	当初
7	みやまスマートエネルギー㈱	福岡県	みやま市	2015年2月	2016年2月	2,000	95%	当初
8	㈱とっとり市民電力	鳥取県	鳥取市	2015年8月	2016年2月	2,000	10%	当初
9	ひおき地域エネルギー㈱	鹿児島県	日置市	2015年10月	2016年2月	2,020	10%	当初
10	ローカルエナジー㈱	鳥取県	米子市	2015年12月	2016年2月	9,000	10%	当初
11	湘南電力㈱	神奈川県	小田原市	2014年9月	2016年2月	2,500	0%	当初
12	(一社)東松島みらいとし機構	宮城県	東松島市	2012年10月	2016年3月	-	0%	追加
13	新電力おおいた㈱	大分県	由布市	2015年8月	2016年3月	2,000	0%	当初
14	㈱やまがた新電力	山形県	山形市	2015年9月	2016年3月	7,000	33%	当初
15	㈱浜松新電力	静岡県	浜松市	2015年10月	2016年3月	6,000	8%	当初
16	宮古新電力㈱	岩手県	宮古市	2015年7月	2016年3月	3,300	0%	当初
17	(公財)東京都環境公社	東京都	23区	1962年5月	2016年5月	35,600	100%	追加
18	㈱おおた電力	群馬県	太田市	2015年3月	2016年6月	700	60%	当初
19	㈱いちき串木野電力	鹿児島県	いちき串木野市	2016年2月	2016年8月	1,000	51%	当初
20	南部だんだんエナジー㈱	鳥取県	南部町	2016年5月	2016年9月	970	41%	当初
21	こなんウルトラパワー㈱	滋賀県	湖南市	2016年5月	2016年9月	1,160	51%	当初
22	㈱CHIBAむつざわエナジー	千葉県	睦沢町	2016年6月	2016年9月	900	56%	当初
23	奥出雲電力㈱	島根県	奥出雲町	2016年6月	2016年9月	2,300	87%	当初
24	㈱成田香取エネルギー	千葉県	成田市・香取市	2016年7月	2016年10月	950	80%	当初
25	ネイチャーエナジー小国㈱	熊本県	小国町	2016年8月	2016年11月	900	38%	当初
26	本庄ガス㈱	埼玉県	本庄市	1962年11月	2016年12月	248,200	NA	追加
27	やめエネルギー㈱	福岡県	八女市	2017年1月	2017年4月	2,230	0%	当初
28	そうま!グリッド(同)	福島県	相馬市	2017年3月	2017年7月	990	10%	当初
29	スマートエナジー磐田㈱	静岡県	磐田市	2017年4月	2017年7月	10,000	5%	当初
30	横浜ウォーター㈱	神奈川県	横浜市	2010年7月	2017年7月	10,000	100%	追加
31	いこま市民パワー㈱	奈良県	生駒市	2017年7月	2017年10月	1,500	51%	当初
32	長野都市ガス㈱	長野県	長野市	2004年11月	2017年10月	380,000	NA	追加
33	CoCoテラスたがわ㈱	福岡県	田川市	2017年6月	2017年11月	870	29%	当初
34	おおすみ半島スマートエネルギー㈱	鹿児島県	肝付町	2017年1月	2018年2月	2,000	67%	当初
35	久慈地域エネルギー㈱	岩手県	久慈市	2017年10月	2018年2月	1,050	5%	当初
36	弘前ガス㈱	青森県	弘前市	1956年8月	2018年2月	8,500	NA	追加

3・2　既に主力事業があり、小売電気事業を途中から開始した地域新電力

自治体新電力名	法人設立	小売電気事業者登録	主力事業
京エコサービス㈱	2006 年 10 月	2010 年　4 月	清掃工場の運転管理　等
海道瓦斯㈱	1911 年　7 月	2015 年 10 月	ガス事業　等
中海テレビ放送	1984 年 11 月	2015 年 12 月	ケーブルテレビ事業　等
社)東松島みらいとし機構	2012 年 10 月	2016 年　3 月	震災復興事業、ふるさと納税事業等
財)東京都環境公社	1962 年　5 月	2016 年　5 月	環境に係る広報、普及啓発及び支援事業　等
庄ガス㈱	1962 年 11 月	2016 年 12 月	ガス事業　等
浜ウォーター㈱	2010 年　7 月	2017 年　7 月	上下水道事業　等
野都市ガス㈱	2004 年 11 月	2017 年 10 月	ガス事業　等
前ガス㈱	1956 年　8 月	2018 年　2 月	ガス事業　等
社)塩尻市森林公社	2017 年　4 月	2018 年　5 月	森林整備の促進に関する事業　等
賀市総合サービス㈱	2006 年 10 月	2019 年　1 月	公共施設の指定管理　等
ほくだん	1997 年 11 月	2021 年　3 月	公園の運営・維持管理　等

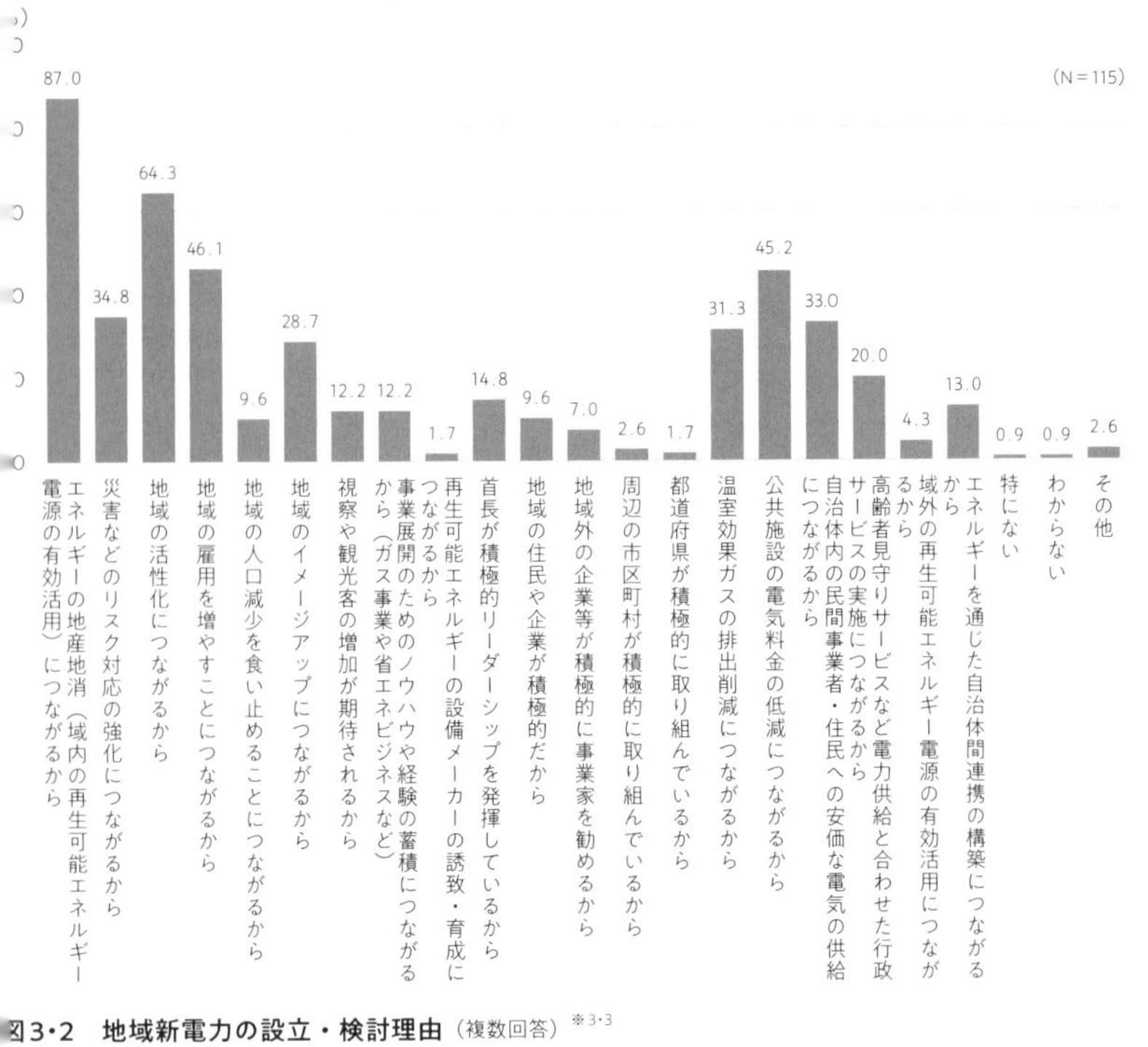

図3・2　地域新電力の設立・検討理由（複数回答）※3・3

社会面では「地域経済循環」や「再エネ普及・CO_2削減」が挙げられることが多く、経営面では主にガス会社において「総合エネルギー事業への展開」が挙げられていることが多い。

3 設立目的は自治体の人口規模によって異なる

次に地域新電力の設立目的について、まず先行研究を確認したい。全国1741の基礎自治体と都道府県に再エネ利用などに関するアンケート調査をした研究[※3・3]によると、115団体が地域新電力を設立済み・検討中と回答し、設立理由として、100団体（87・0%）が「エネルギーの地産地消（域内の再生可能エネルギー電源の有効活用）につながるから」を選択した。これに「地域の活性化につながるから」（74団体・64・3%）、「地域の雇用を増やすことにつながるから」（53団体・46・1%）、「公共施設の電気料金の低減につながるから」（52団体・45・2%）、「災害などのリスク対応の強化につながるから」（40団体・34・8%）、「自治体内の民間事業者・住民への安価な電気の供給につながるから」（38団体・33・0%）、「温室効果ガスの排出削減につながるから」（36団体・31・3%）が続いている（図3・2）。

この先行研究は、検討中の自治体の回答も含まれるため、さらに詳細に調べるべく、既に設立済みで事業を開始している74地域新電力について、自治体の人口規模別に調査を行った。人口上位と下位それぞれ10地域新電力について、その目的をプレスリリースや公表資料からキーワード抽出により調査した（表3・3）。

地域新電力の設立目的としては、エネルギーの「地産地消」が最も多く、人口上位7社、人口下位8社と

表3・3　自治体の人口規模と地域新電力設立目的（数値は地域新電力数）

目的	地産地消	地域低炭素	省エネ	エネマネ	再エネ開発	地域経済循環・活性化	事業利益の地域還元	レジリエンス	電気代削減
人口上位	7	7	3	3	2	4	1	1	1
人口下位	8	1	0	0	3	6	6	2	2

なった。人口上位自治体の地域新電力では「地域低炭素」が7社と同率で最多であったが、人口下位では1社に留まった。また、地域低炭素につながる「省エネ」「エネマネ」についても人口上位で各3社が目的としていたのに対し、人口下位では0社であった。人口下位自治体の地域新電力では「地域経済循環・活性化」「事業利益の地域還元」が6社となった一方、人口上位ではそれぞれ4社と1社であった。

以上のことから、人口規模によって地域新電力の設立目的が異なっており、人口規模の大きい自治体は主に「地域低炭素」を、人口規模の小さい自治体は主に「地域経済循環」や「事業利益の地域還元」を地域新電力設立の目的としていることが分かった。これは筆者の実務を通じた実感とも整合している。大都市自治体には地域経済循環という概念はあまり響かない代わりに、地域脱炭素が刺さるようになってきている。一方、小規模自治体には地域経済循環の考え方は大変共感を得られるが、地域脱炭素への関心はまだまだである（地域脱炭素が地域活性化にも寄与することの認識が広まってほしい）。

4　出資

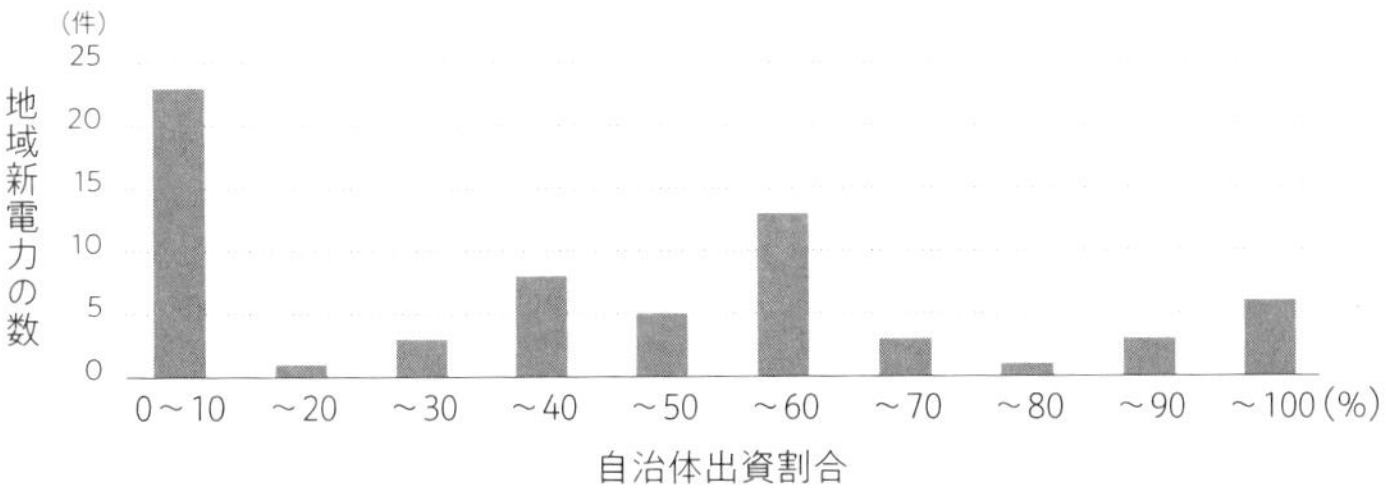

図3・3　地域新電力の自治体出資比率の分布

資本金額・自治体出資比率

地域新電力のガバナンスや経営主体を表す重要な指標である資本金額・自治体出資比率について見てみる。調査対象の資本金額は３００万円から75億円までばらつきが見られた。また、①既に主力事業があり、小売電気事業を途中から追加した社、②設立当初から小売電気事業を主力として実施している社で大きく異なり、①は平均15億円、②は平均２７００万円であった。

自治体の出資比率については、出資比率が不明な8社を除く66社の平均で39％となり分布は図3・3のようになった。自治体出資10％未満が21社（うち自治体と協定を結んでいるが自治体出資0％は10社）と最も多かった。これは一連の民間活用に係る行政改革の流れを踏まえ、民間主導での経営が選択されたものと考えられる。一方で、自治体出資50％以上60％未満を選択した社が13社と2番目に多くなっており、これらの社は、自治体側が半数以上の議決権を確保し、行政の意向を反映させたい狙いがあると考えられる。次いで、3番目は自治体出資30％以上40％未満が8社と続いているが、これは1/3超の株式取得による拒否権の確保を想定しているものと考えられる。

なお、個別のヒアリングにおいては、「自治体の出資割合が高まると事業スピードが遅くなる。民間の力を発揮していただくため、出資割合は抑えた」（出資割合が低い自治体の担当者）や、「行政の意向が最大限反映するため、出資割合が高くなった」（出資割合が高い自治体の担当者）といった声が聞かれ、出資割合の違いは各自治体の運営方針の違いを表していると言える。

複数の自治体が出資するメリット・デメリット

複数の自治体が出資して1つの地域新電力を設立する場合もある。次の3社が挙げられるが、いずれも隣接する自治体同士の出資である（カッコ内は出資比率）。

①成田香取エナジー（千葉県成田市（40％）・香取市（40％））
②ローカルエナジー（鳥取県米子市（9％）・境港市（1％））
③能勢・豊能まちづくり（大阪府能勢町（16％）・豊能町（16％））

複数の自治体が出資するメリットとして、両自治体の公共施設など需要規模を大きくして採算性を向上できることが挙げられる。また、活動が複数の自治体にまたがることで、より多様な地域主体を巻き込むことができる。例えば、能勢・豊能まちづくりの場合、能勢町においては冒険の森や大阪府立豊中高校能勢分校との連携、豊能町ではトヨノノ応援会などと連携事業が実施されている。

また、成田香取エナジーにおいては、成田市が所有する廃棄物発電をベース電源として活用し、香取市が所有するメガソーラーを日中の電源として活用することで、お互いの持つ電源の特性が活かされている。

一方で、複数自治体出資によるデメリットもある。例えば、①自治体が複数になることで、両市長と両議

表3・4　地域企業と地域外企業の出資者数・出資比率 注3・2

	出資社数	出資比率（平均）	1/3 超出資社数	1/2 超出資社数	2/3 以上出資社数
地域企業	174	25%	6	3	3
地域外企業	66	32%	15	9	6

会といったステークフォルダーが増え意思決定が複雑になること、②それぞれの自治体における成果・サービスのバランスをとることが求められ、足並みを揃えるのが難しい場合があることなどである。

地域企業と地域外企業の出資比率に課題

地域新電力への地域企業の出資比率は、地域新電力が地域主体で経営されているかを測る重要な指標である。対象地域新電力62社（②設立当初から小売電気事業を主力として実施している社）に対しては、確認できただけで174の地域企業、57の地域内金融機関、66の地域外企業が出資しており、社数では地域企業が地域外企業と比較すると2・6倍となった。一方で、地域企業の平均出資比率は25％であり、地域外企業の同32％を大きく下回った。また、地域企業（金融機関除く）の出資が0％である社も21社に上った。

各対象地域新電力に対し、①特別決議において拒否権を有することができるようになる1/3超出資、②一般的に経営権を有しているとされる1/2超出資、③支配権を有するとされる2/3以上出資をしているそれぞれの社を地域企業・地域外企業別でみると、①地域企業7社・地域外企業15社、②地域企業3社・地域外企業9社、③地域企業3社・地域外企業6社となり、地域外企業が地域企業を大きく上回った（表3・4）。

以上より、①地域企業は地域外企業に比し、地域新電力設立に際し多くの社が出資を行うものの、出資額は小さく経営に関与しない傾向にあること（お付き合いでの出資に留まっている）、②地域外企業は一定額を出資し、経営に積極的に関与する傾向にあることが分かった。地域主体で地域新電力が運営されるためには、さらなる地域企業の出資（経営への参画）が重要である。

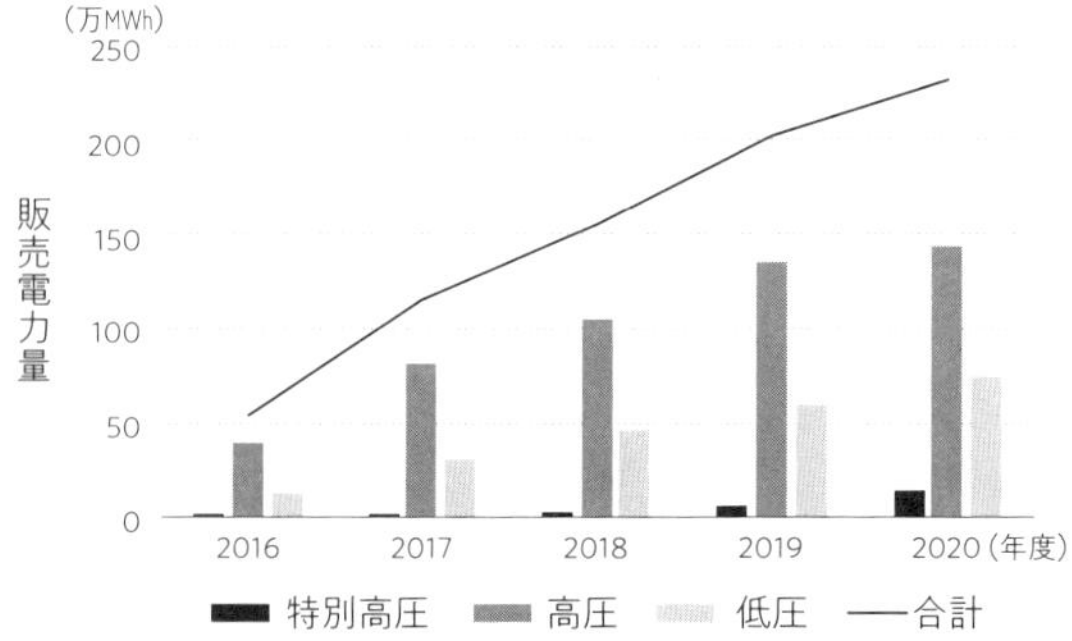

図3・4　対象地域新電力（74社）**の販売電力量の推移**

5　地域企業が経営に参画すると販売電力量が伸びる

地域新電力の販売電力量の推移

次に、地域新電力の事業規模の指標となる販売電力量について、経済産業省が発行する電力調査統計により分析した。２０２０年度の対象地域新電力（74社）の販売電力量合計は２３２万MWhであった。２０２０年度の全国の全電気事業者の販売電力量は8・5億MWhであり、対象地域新電力のシェアは0・3％程度とまだ小さいものの、図3・4に示すとおり販売電力量は２０１６年度以降大きく伸びている。

２０２０年度の販売電力量の内訳を見ると、高圧では前年度比で５％増と伸び悩んでいる一方、低圧は26％増となっており、直近では低圧が販売電力量増を支えていることが分かる。これは、①地域新電力におけ

表3・5　地域企業出資比率と販売電力量の平均年間増加率

地域企業出資比率	0%	0%超1/3以下	1/3超2/3未満	2/3以上
販売電力量平均増加率	7%	9%	21%	22%

る一般的な供給拡大の順序として、公共施設高圧→公共施設低圧→民間施設高圧→民間施設低圧といった段階が踏まれること、②高圧施設については、旧一般電気事業者や他の新電力との競争環境が厳しいために地域新電力の営業が低圧にシフトしていることなどが原因と考えられる。

販売電力量の増加率は、地域新電力が事業拡大しているか否かの1つの指標となるが、対象地域新電力（74社）の平均年間増加率は28％であった。そのうち、①既に主力事業があり、小売電気事業を途中から追加した社の平均年間増加率は80％、②設立当初から小売電気事業を主力として実施している社の平均年間増加率は13％であった。①については、ガス会社などが中心であるため、既に販売網が確立しており、ガスなど他の商品とセットで電力も販売することが可能で、販売電力量が拡大している。

なお、平均増加率の算出にあたっては、対象地域新電力が年度途中から供給開始している場合もあるため、供給開始初年度は算出対象から除外し、供給開始の次年度から２０２０年度までの平均増加率を算出している。

地域企業出資比率と販売電力量の増加率との関係

地域企業出資比率と販売電力量の平均増加率との関係を分析した。対象地域新電力（②62社）を地域企業の出資比率について①０％、②０％超１／３以下、③１／３超２／３以下、④

2/3超の4つのカテゴリに分け、それぞれの販売電力量の平均年間増加率を算出した。その結果、①0%：増加率7%、②0%超1/3以下：増加率9%、③1/3超2/3以下：増加率21%、④2/3超：増加率22%となった（表3・5）。地域企業の出資比率の増加とともに販売電力量の平均年間増加率も向上する傾向にあり、特に地域企業の出資比率1/3超から倍増している。ここから、地域企業の積極的な経営への関与が販売電力量を増加させることが分かる。これは、地域企業の地域ネットワークにより、需要家が確保されることなどが理由と考えられる。

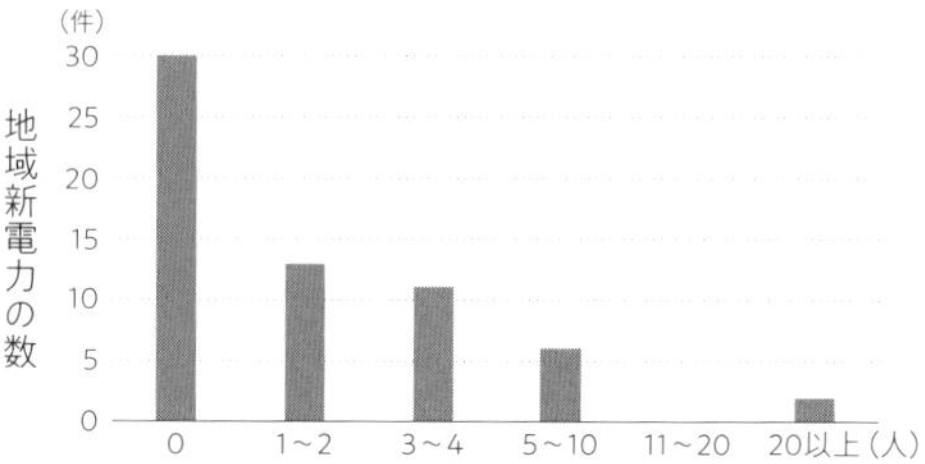

図3・5　従業員数別の地域新電力の数
（②当初から小売実施の62社対象）

6　地域新電力の約半数が従業員数ゼロという矛盾

続いて、地域新電力の従業員数の調査結果を示す。日本年金機構の厚生年金保険・健康保険適用事務所検索システムを用い、同システムにおいて検索できる被保険者数を従業員数とした。

調査の結果、①既に主力事業があり、小売電気事業を途中から追加した社（12社）の平均従業員は208人、②設立当初から小売電気事業を主力として実施している社（62社）の平均従業員は2・3人となった。また、対象地域新電力②（62社）について、従業員数別に集計を行った（図3・5）。対象地域新電力の約半数である30社が従業員0人で最多となり、続いて1〜2人の13社、3〜4人の

11社、5~10人の6社、20人以上の2社と続いた。地域脱炭素化・地域活性化の担い手として期待される地域新電力において、雇用創出・人材育成が思うように進んでいないことが示された。これは、次項で示すように地域新電力の業務の多くが地域外企業に委託されているためである。特に従業員数が0人の場合、業務のほぼすべてが地域外事業者に委託されていることを意味し、その地域に知見・ノウハウを蓄積していくことが難しい状況となっている。地域活性化や地域脱炭素の担い手として地域新電力が設立されるのに、従業員がゼロというのは目的に対して矛盾している。

なお、従業員数が20人以上の地域新電力は、みやまスマートエネルギー㈱(従業員数27名)と㈱Karch(従業員数23名)であったが、両社は小売電気事業と併せ、雇用を創出する多様な事業(みやまスマートエネルギー社:レストラン事業、宅配事業、Karch社:施設管理業、旅行業代理業)を展開している。

7 地域外企業に多くの業務を委託する矛盾

業務委託の現状

調査では、地域新電力の業務の多くが地域外企業に委託されていることも分かった。新電力の主な業務として、需給管理業務、料金請求業務がある。需給管理は、電力の需要と調達を一致させる作業で、新電力業務の要となるものだ。業務委託の状況については、アンケート調査への回答があった38地域新電力のうち、需給管理は32社が他社へ委託していた（84％が委託）。また、料金請求業務については、15社が自社で実施、23社が他社へ委託していた（61％が委託）。このように、地域新電力の業務の多くは地域外企業に委託されている割合が高いことが分かる。現在設立されている地域新電力の中には、他地域の民間事業者に業務をすべてお任せというところも少なくない。これだと当然委託費などの形で地域から資金が流出することになるし、経験やノウハウなどが蓄積されず、地域新電力の本来の意義である地域の担い手の形成につながらない。この点は大きな課題であり、設立目的とも矛盾している。

地域企業が経営に参画すると業務が内製化され、従業員が増える

一方で、地域人材育成やノウハウの地域化を重視し、地域雇用により業務を内製化する地域新電力もある。これらの経営判断の方針には地域企業の参画が深く関係していることが分かってきた。地域新電力に対し、1/3超を単独で出資する地域企業がいる場合（調査対象では6社が該当）には、会社で需給管理業務または料金請求業務が内製化されていた。地域新電力の経営にコミットする地域企業がいると、業務の内製化が進むと言える。また、調査からは、業務の内製化と同様に、地域企業の出資比率の増加とともに従業員数も増加する傾向にあることも分かった。特に地域企業の出資比率1/3超から従業員数は倍増していた。

地域の未来と一蓮托生の地域企業が地域新電力の経営に参画すると、持続的な地域での運営が志向され、地域人材育成やノウハウの地域化が重視されると言える。一方で、地域外出資が50％超である社（14社）のうち、従業員0名の社は10社にのぼる。これらは地域外企業が経営を行い、多くが地域新電力の業務をこの

地域外企業が受託する構造となっているため、地域雇用が創出されていない。

新電力特有の業務「需給管理」

地域新電力の需給管理は、専門的だからという理由で地域外企業に委託され、その地域外企業のバランシンググループ[注3-3]に入るケースが多い（委託先の地域外企業が地域新電力に出資しているケースも多い）。この点については誤解も多い。一定のノウハウは必要だが、電力業界未経験者でも数週間のトレーニングで一通りの需給管理業務をマスターできる。需給管理の内製化によって、雇用拡大や業務ノウハウ蓄積、（場合によって）収益性向上などのメリットがあるため、本来は選択肢の1つになるべきである。

実際に自社で需給管理を内製化する地域新電力も一定数ある。例えば、ローカルエナジー㈱（鳥取県米子市）、一般社団法人東松島みらいとし機構（宮城県東松島市）、みやまスマートエネルギー㈱（福岡県みやま市）、秩父新電力（埼玉県秩父市）、やまがた新電力（山形県）などが挙げられる。設立当初は需給管理を委託していたが、委託費削減や今後の事業展開（非ＦＩＴ太陽光発電の開発・調達や自社独自メニューの設計など）を見据えて、内製化を検討する地域新電力も増えつつある。

8 調達電源

調達電源については、アンケート調査の結果（有効回答数28）、地域の再エネ電源（ＦＩＴ電源含む）の割合は平均値36％であった（図3・6に割合分布）。また、地域の再エネ電源の割合が0％の地域新電力が5社あった。「エネルギーの地産地消」を期待される地域新電力であるが、地域の再エネ電気及びFIT電気の調達はまだ低位であり、これらの電源調達が課題と言える。個別ヒアリングでは、「地域の再エネ電源が限られており、供給先の拡大は進んでいるため地域の再エネ電源の比率が落ちてしまう」といった声も聞かれた。

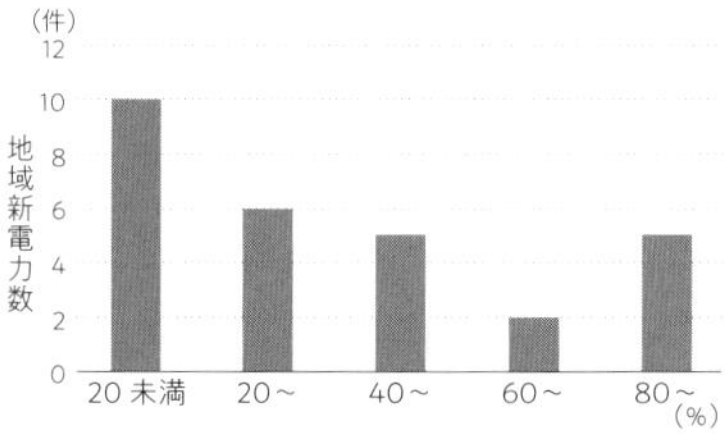

図3・6　地域の再エネ電源の割合

9　排出係数

環境省公表の電気事業者別排出係数一覧によると、調査対象地域新電力のうち2019年度に販売実績のある60地域新電力の基礎排出係数の平均値は0.000335t・CO_2／kWhとなり、調整後排出係数の平均値は0.000419t・CO_2／kWhとなった。2019年度の全国平均排出係数（基礎・調整後）は0.000445t・CO_2／kWhであるから、調査対象地域新電力の排出係数は、全国平均を下回る（CO_2を出していない）結果となった。特に、調整後排出係数よりも基礎排出係数が全国平均を大きく下回ったのは、地域新電力がFIT電気[注3・4]を調達する傾向にあるためと考えられる。

廃棄物発電からの電力を調達している地域新電力は14社あったが、すべてが各エリアの旧一般的電気事業者の基礎排出係数を下回り、13社が各エリアの旧一般電気事業者の調整後排出係数を下回った。廃棄物発電

column

日本の廃棄物発電

地域新電力の電源の中身を見ると、自治体所有の廃棄物発電を活用するケースが多くみられる。地域新電力にとって廃棄物発電を調達可能な場合、地産電源の割合が向上し、地産地消アピールがしやすくなる。全国市町村の一般廃棄物焼却施設1067施設（2019年度末）のうち、発電を行っている施設（廃棄物発電）は全体の26.7％にあたる384施設（合計発電能力は2078MW）となっている（図3・7）。

日本では、一般廃棄物処理は基礎自治体の責務とされ、これまで基本的に市町村ごとに焼却施設が整備されてきたため、欧米に比べ小規模な施設が多くなっていた。小規模施設の場合、安定的な発電が難しく、また蒸気タービンなどの発電関係設備は固定費であるため費用対効果で不利になり、発電を行わない（または発電したとしても自家消費のみに留まる）場合が多くあったが、近年は複数の自治体による廃棄物処理施設の共同設置が進んでおり、施設が大規模化する傾向にある。ごみの発生量自体は減少しているものの、発電施設数及び総発電能力は増加しており、地域新電力の有力な電源として活用されているのである。

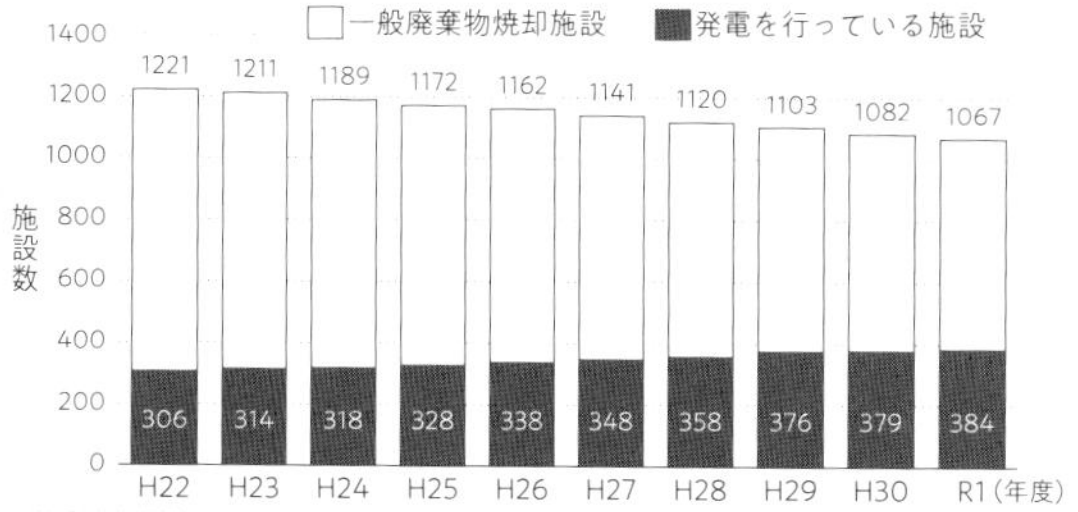

図3・7　発電を行っている一般廃棄物焼却施設の推移
（出典：環境省「日本の廃棄物処理（令和元年度版）」2021年3月）

からの電力調達は大きく排出係数を押し下げることが分かる。廃棄物発電からの電気は通常、FIT電気（バイオマス分）と非FIT電気（プラスチックなどの分）が合わさるが、後者は排出係数が0として計上され、排出係数を押し下げる。地域脱炭素の担い手として期待される地域新電力において、廃棄物発電は重要な低炭素電源の1つと言える。

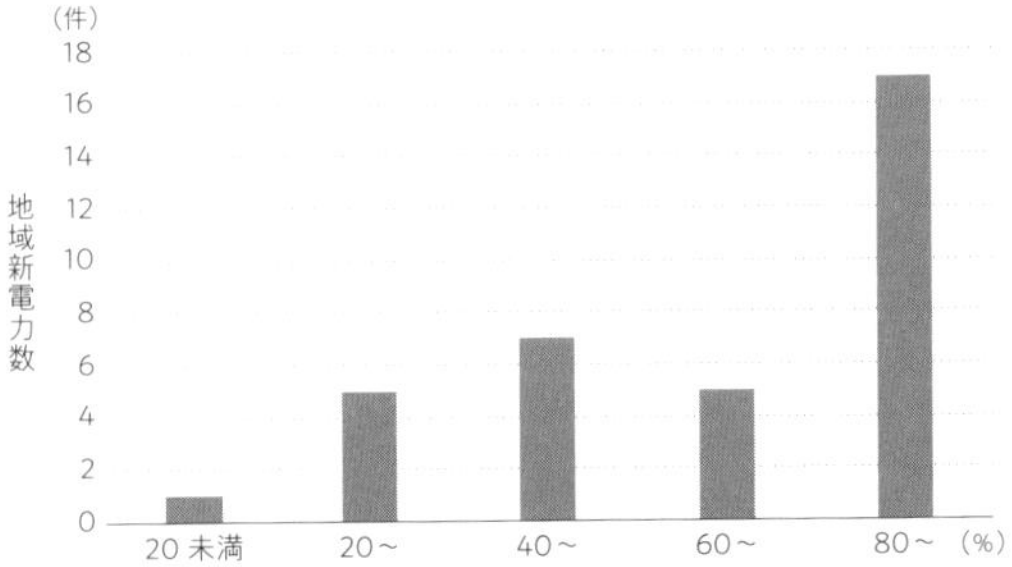

図3・8　供給電力量に占める公共施設向けの割合

10 供給先

供給先については、地域新電力への調査（回答数35）の結果、1社を除く34社が出資を受ける自治体の公共施設に供給を行っていた。これらは、地域新電力と自治体とが協定を締結していることなどを理由に入札をせず随意契約されていることが多い。また、供給電力量に占める公共施設への供給割合（電力量ベース）は平均69％であり、公共施設への供給割合が90％を超える地域新電力は14社あった（図3・8）。

新電力事業を行う際、需要（顧客）の確保は最重要事項のため、自治体の公共施設という一定規模の需要を確保できることは地域新電力の大きい強みとなる。採算ラインと言われる契約電力3～5MW程度を公共施設だけで確保できる場合も多いことから、多くの地域新電力は、自治体と連携し公共施設を対象に電気供給を行うことが一般的となっている。

調査時点では民間施設への販売量はまだ大きくなっていなかったが、足元では民間施設への供給を積極的に展開している社も多くあり、公共施設のみに留まる地域新電力との二極化の様相を呈している。

11 地域還元策、地域低炭素化事業などの将来展望

将来実施を予定・検討している事業については、地域課題などに即した多様な回答があったが、回答件数が多いものとしては、省エネルギー関連事業（12件）、太陽光発電など再エネ発電事業（11件）であった。これらは、電力販売と一定の親和性がある事業であり、特に再エネ発電事業は、地域電源確保の課題を反映しているものと考えられる。また、これらは地域脱炭素化にもつながるもので、地域新電力による省エネ事業、再エネ開発が地域主体で進展し、自治体の温暖化対策の一翼を担うことが期待される。

12 74地域の調査で見えてきたこと

調査を通じて見えてきた地域新電力の現状と課題を表3・6にまとめた。特に重要な調査結果は3点ある。まず1点目は、地域新電力への出資について、「地域企業は少額出資に留まっており経営に関与していない。一方で、地域外企業は1社あたりの出資額が大きく経営に関与する意向が強い」点である。この背景には、

表3･6　地域新電力調査結果のポイント

	調査結果のポイント
設立目的	・自治体の人口規模によって地域新電力設立の目的が異なる傾向にある（大規模自治体は地域低炭素、小規模自治体は地域経済循環や事業利益の地域還元を目的にする傾向）
出資	・地域企業は、出資社数は多いものの少額出資に留まっており、地域新電力の経営に関与していない。一方、地域外企業は１社あたりの地域新電力への出資額が大きく経営に関与する意向が強い
従業員数	・従業員のいない地域新電力が約半数に上る ・地域企業の出資比率1/3超（経営に関与）から従業員数は倍増
業務の内製化の状況	・地域外企業に業務のほとんどを委託する社が多い（需給管理業務は８割強、料金請求業務は６割強が外部委託） ・1/3超を「単独で」出資する地域企業がいる地域新電力（全６社）はすべて需給管理または料金請求業務を内製化
販売電力量	・地域企業の経営への参画が販売電力量の伸びを増やす（地域企業が1/3以上出資している社は、そうでない社と比べ販売電力量の平均伸び率が２倍）
電源	・地域の再エネ電源の調達はまだ低位
排出係数	・全国平均より二酸化炭素の排出量が少ない傾向
供給先	・公共施設中心だが、民間施設へ積極的に供給拡大する社も一定数ある
将来展望	・省エネ関連や再エネ開発関連事業の展開を予定する社が多い

地域新電力の検討開始から設立までの過程が関係していると考えられる。具体的には、地域新電力の検討開始においては、地域外のエネルギー企業が自治体に対して提案して検討が開始されることが多く、この場合、自治体とエネルギー企業とでは情報の非対称性があるため、検討は提案を行った地域外エネルギー企業主導で進むこととなる。その結果、地域新電力設立において、地域企業の参画への主体性が育まれることなく、地域企業に対し自治体などから出資の打診があっても主体的な経営への参画ではなく「お付き合い」での少額出資となってしまっていると考えられる。

２点目は、従業員がいない地域新電力が半数であり、多くの地域新電力の業務が地域外企業に委託されているという点である。地域活性化を目的とする地域新電力も多い中、雇用を生まず、地域外企業への業務委託ばかりが選択され、地域人材育成や地域でのノウハウ蓄積がなされていないことも少なくないことが分かった。

3点目は、地域企業の出資比率の増加（経営への参画）とともに、①従業員雇用の増加、②業務の内製化率、③販売電力量の伸び率が高まることが明らかになった点である。地域企業の経営への参画が、地域新電力の持続的な発展に極めて重要であることが示された。自治体の地域新電力設立検討にあたっては、地域企業を検討初期から巻き込み、主体的な経営への参画を促すことが重要と言える。

3-3 地域新電力の意義と責任

前節で地域新電力の現状と課題を概観した。では、なぜ自治体は地域新電力に取り組むのか、改めて地域新電力の意義、そして地域新電力の責任について考えたい。

1 地域脱炭素の担い手

多くの自治体がゼロカーボン宣言しているが、脱炭素に向けて自治体のみでできることは、計画策定、補助金交付などに限られる。今後、ゼロカーボンシティに向け、地域共生型の再エネや省エネを持続的に拡大

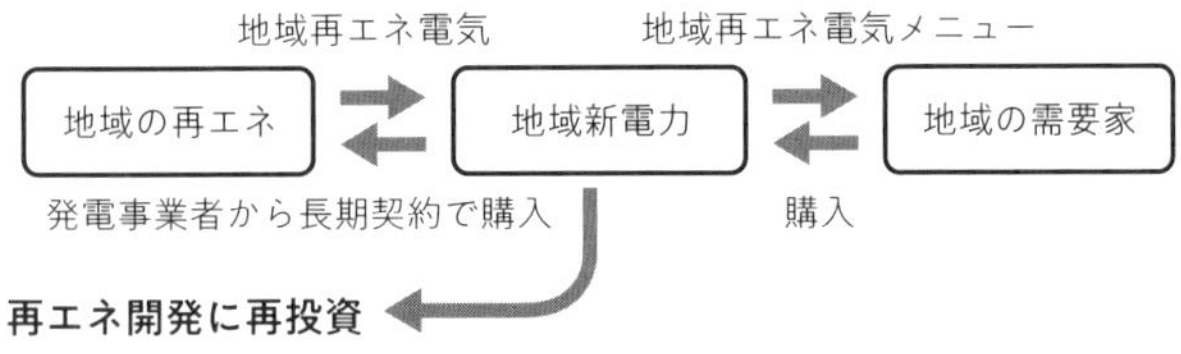

図3・9　再エネ開発への再投資サイクル拡大に期待

していくためには、そしてそれらが地域経済を潤すためには、地域の担い手による実施が必要だ。しかし、今日、そのような地域の担い手は、特に中小規模自治体ではあまり存在しない。

そうした中で、地域新電力という地域の担い手ができると、自治体の地域エネルギー政策の幅が広がり、実行性を持つ。

既に、地域新電力による地域脱炭素に向けた再エネ開発や省エネの取組は広がりつつあるが、特に、新電力業務と親和性のある再エネ開発の動きが活発化している。

現在、再エネ開発においては、地域との共生が全国的な課題となっているが、地域密着事業者である地域新電力による実施は、地域との共生がなされやすいと考えられる。発電事業には、資金調達やこれまでの地域新電力業務とは異なるノウハウが必要になることから、他の地域企業などと連携して実施するなどの工夫が必要となるが、地域新電力による再エネ開発への再投資のサイクルが広がることが期待される（図3・9）。

また、地域新電力による地域での丁寧な省エネ推進の拡大も期待できる。地域の事業者などに対し省エネルギー診断を行う自治体や国の機関もあるが、公平性の観点から具体的な省エネ機器提案まで踏み込めないことも多かった。地域新電力による具体的な機器提案を伴う省エネルギー事業が広まれば、実効性のある省エネルギー対策が図られる。

既に秩父市や生駒市においては、地球温暖化対策の推進に関する法律に基づき自治体が策定する「地球温暖化対策実行計画」に地域新電力を明記しており、地域新電力が自治体のパートナーとなって地域脱炭素化を加速していくことが期待される。

いま、地域主体の地域新電力による太陽光発電のオンサイトPPA[注3-5]、小水力開発、省エネ診断、断熱改修といった地域脱炭素事業が広がりつつある。これらは、地域人材により地域共生型で自走的になされており、地域新電力が地域脱炭素の「担い手」になりつつあることを示している。

2 地域経済循環の担い手

小さな町でも年間で数十億円から数百億円が電気代として地域外に流出してしまっている。地域新電力によって、これまで流出していた資金の一部を地域で循環させることができる。また、地域新電力は、地域ブランドによる特産品を開発しアンテナショップで売ったりするような他の地方創生事業と異なり、高度な地域外に対するマーケティングや多額の初期投資が不要という特徴がある。公共施設のみへの販売でも採算ラインと言われる契約電力3～5MWを超えることも多く、まずは公共施設などから始めるといったスモールスタートが可能である。新電力業務が軌道に乗った後、再エネ開発や地域の課題解決の担い手になっていくことも期待できる。

福島県葛尾村と福島発電㈱が出資する地域新電力「葛尾創生電力」の例を紹介したい。同社は、新電力事業と併せ、特定送配電事業や太陽光発電開発事業も行っているが、ノウハウ蓄積を重視し、所有する太陽光発電の管理も自社で実施している。これが、他社のメガソーラーの管理受注にもつながり、地域に稼ぎを取り込むことに成功している。地域の担い手がいるとノウハウが蓄積され、地域の稼ぎが増した事例と言える。

総務省の調査[※3・4]によると、全国の第三セクターの約4割は赤字である。採算性を維持するまちづくり事業はとても難しい。後述するように卸電力市場市場の高騰など、地域新電力の事業環境は厳しいが、それでも他のまちづくり事業と比較して、有力な選択肢に成り得るのではないだろうか。

今後、地域新電力がエネルギーやまちづくりに関するノウハウを蓄積し、これまで外に出てしまっていた仕事も、地域で回していくことが期待される。

3 自治体の相談相手「ローカルシンクタンク」の役割も

最後に、顕在化してきた地域新電力の意義の一例を紹介したい。地域人材である従業員を有し、知見・ノウハウを蓄積している地域新電力へのヒアリングにおいて複数から聞かれるのが、「自治体から地域脱炭素などの計画策定や個別政策について相談されるようになった」というものである。

小中規模の自治体では、これまで地域にこういった相談相手はおらず、地域脱炭素施策などについては、コンサル会社（ほとんどは地域外企業）へ委託していた。当然、コンサル会社は調査や計画策定業務がミッションであるため、その後の脱炭素事業の実行までは担保しない。一方、地域新電力には、専門的なことも計画策定後の実行段階のことも相談できる。これまで、自治体の計画は実行に結びつかないことも少なかったが、地域新電力という地域の担い手がいると実行性が増すのである。自治体が地域新電力というローカルシンクタンク兼実行部隊を得た意義は大きいのではないか。

エネルギーが自治体政策になったのは東日本大震災以降であり、地域エネルギーに関する自治体の知見・ノウハウの蓄積はまだまだである。また、そもそも自治体職員は3年程度で異動があるため、自治体内に知見ノウハウが蓄積しづらい構造となっている（4-4参照）。地域新電力がローカルシンクタンクの役割を果たすことにより、自治体政策に専門的な知見と実効性を加えてくれるのである。

4 地域新電力の責任

今後、地域新電力は、その価値を出していくことが強く求められる。その理由は、多くの地域新電力が自治体と随意契約で公共施設へ電気を供給しているためである（3-4-7　いこま市民パワー㈱参照）。入札するより随意契約で割高になっている電気代は、地域新電力の政策遂行コストである。入札をすれば公共施設の電気代は一定額が下がるため、地域新電力の利益を寄付などで地域還元するだけでは、入札による電気代削減効果には及ばない。地域新電力による意義を示すためには、地域経済効果などを示すことが重要だが、地域経済効果を高めるためには地域主体での実施（業務の地域化）が必要となる。

地域新電力の価値は、地域経済循環や地域脱炭素化の地域の「担い手」形成にある。これには、地域での経験やノウハウの蓄積が不可欠で、地域新電力を設立するのであれば、地域外事業者へ丸投げしては意味がなく、できるだけ地域で実施していくことが求められる（すべての業務を内製化すべきという意味ではない。地域外企業との効果的な連携は望ましい）。単に地産地消という概念価値を得たい、公共施設の電気代を安くしたいというだけであれば、条件付き入札など別の方法で達成した方がいい。

設立間もない地域新電力においては、すぐにすべての業務の内製化をすることが難しいこともあるが、その場合でも、地域内外の事業者と連携しながら、ノウハウを徐々に蓄積していくことが重要である。

5 地域新電力は、ドイツのシュタットベルケになれるのか

日本の地域新電力が議論される際に、よく参照されるのがドイツのシュタットベルケ（都市公社）である。ドイツの多くの地域では、このシュタットベルケという公益事業体が、地域の電力事業、ガス供給、熱供給、交通、上下水道などの社会インフラ事業を包括的に管理・運営している。シュタットベルケは、ドイツ全体で約１４００に上り、電力事業を手がけるものは９００を超える。[※3-5]

シュタットベルケと自治体の関係は様々であるが、多くの場合、自治体が全額または一部出資するが、補助金に頼らない独立採算のケースが多い。また、人材面では、自治体からの出向はなく独自採用が一般的であり、シュタットベルケ内に専門ノウハウが蓄積される。

ドイツでは、１９９８年にエネルギー事業法が施行され、電力の全面自由化が実施された。全面自由化か

ら20年が経過するが、シュタットベルケはRWEやE.ONといった大手電力会社と互角に戦うことができている。その理由には、①利益最大化ではなく「市民生活の満足度の最大化」を目的にすることによるブランディング、②地域に密着したサービスの提供、③再エネ活用による環境意識の高い需要家の取り込みが挙げられる。

シュタットベルケは、地域に雇用を生み出すとともに、その多くが地域企業への発注、地域企業からの資材調達といった地域内経済循環を強く意識している。例えば、エットリンゲンのシュタットベルケ（Stadtwerke Ettlingen Gmbh）においては、電気代の43%が市内に循環することがパンフレットでアピールされている。※3-6

また、シュタットベルケにおけるビジネスモデルで注目すべきは、電気事業や地域熱供給といったエネルギー事業の収益の一部を赤字部門（交通、公共プールなど）に回すことで、地域課題の解決・地域インフラ維持を行っている点である。株主でもある自治体が、配当の要求を控えめにし、シュタットベルケによる地域インフラ維持を優先することでこのスキームは成り立っている。通常の株式会社であれば、エネルギー部門で得られた収益は、配当として株主に還元され、市民には還元されない。株主はその地域に住んでいるとは限らないため、配当支払は域外への資金流出を意味することが多い。これに対してシュタットベルケでは、上がった収益が、公共交通など市民生活と密接に関係する公益的事業に投じられることで市民に還元される。※3-7

このような「市民生活の満足度の最大化」を目指した経営方針は、シュタットベルケを地域のための組織としてブランディングし、結果として市民は（最安値ではない）シュタトベルケの電力を選択することにつながるという好循環を生んでいる。

シュタットベルケの他の特徴として、地域に密着したサービスの提供、再エネ活用による環境意識の高い需要家の取り込みが挙げられるが、ここでは筆者が現地調査を行った2つのシュタットベルケの事例を紹介したい（内容は2014年の現地調査時）。

電力販売と併せた省エネ診断―ハンブルクエネルギー

ハンブルクエネルギー（Hamburg Energie GmbH）は、2008年に設立されたシュタットベルケで、再エネ開発を行うとともに、100％再エネ電力を販売しており、10万件以上の顧客を抱える。

図3・10　サーモグラフィーでの省エネ診断。サーモグラフィーでは窓付近が赤・橙色となっており、そこから熱が逃げていることが分かる。
（出典：ハンブルクエネルギー公社HP）

また、電力販売とともに多様なエネルギーサービスも提供している。例えば、建物のどこから熱が逃げているかをサーモグラフィーで確認し、窓や屋根の断熱工事の提案などを行う省エネ診断を実施している（図3・10）。ハンブルクエネルギーとすれば断熱工事や高効率機器の購入につなげることができ、顧客にすれば省エネ化により光熱費が安くなるメリットがある。

また、ハンブルクの広い屋根（30kW以上設置可能なもの）を借り受け、太陽光発電を設置する「屋根借り」事業を行ったり、各屋根の大きさや角度、日当たりなどを航空測量データから分析し、建物ごとに太陽光発電の適性を示す「ソーラー屋根台帳」を公開するなど地域密着の取組にも積極的である。

地域インフラサービスを包括的に提供―シュタットベルケカールスルーエ

シュタトベルケカールスルーエ（Stadtwerke Karlsruhe）は、カールスルーエ市を中心に電気・ガス・熱供給・水道事業を展開しており、100％再エネ電力である「NatuR」を販売している。「NatuR」の料金は通常電力に比し、1.2セント／kWh程度割高だが、環境意識の高い需要家はこちらを選ぶという。この「NatuR」にさらに4セント／kWh上乗せした「NatuR plus」を購入すると、この上乗せ分が、カールスルーエ地域の学校への太陽光発電設置や小水力発電の導入に充てられる。地域の再エネ普及を後押ししたい顧客への商品と言える。

また、地域の病院などの屋根を借り、市民から資金を集めて太陽光発電を設置し、売電収益で利回りを上乗せして返済するいわゆる市民出資形式の「屋根借り」も行っている。この方法により、これまで23の建物に計約3MWの太陽光発電が設置された。

さらに、シュタトベルケカールスルーエは、市内のコジェネレーション（電熱併給）設備や産業排熱を利用し、整備された熱導管により地域熱供給を行っている。地域熱供給は、熱源の調達と販売を地域で行う必要があるため、地域密着の事業展開を行うシュタットベルケの強みである。

また、市内にサービスセンターを構えるが、ここではワンストップで電気・ガス・熱供給・水道それぞれの手続きを行うことができる。サービスセンターでは、省エネ機器の実機や解説パネルがあり、具体的な検討に当たっては、各自のエネルギー消費に応じた最適な設備の導入や公的支援などについて職員に相談することができる（図3・11）。

この他、電気・ガスや水道の料金、カーシェアリングの予約、電気自動車充電スタンドの位置検索、さらには市内のニュースやイベントが確認できるスマートフォン用アプリの提供など地域密着の取組は幅広い。

図3・11　ドイツのカールスルーエ市のシュタットベルケ。省エネ機器などの啓発展示があり、エネルギーの相談もできる。

シュタットベルケモデルの展開に向けた注意点と可能性

少子高齢・人口減少社会にある我が国において、今後も都市機能を維持していくにあたり、前述のエネルギー事業の収益を地域還元する「シュタットベルケモデル」への期待が高まっている。多くの地域新電力においては、収益の地域還元を打ち出しており、既に電気事業と併せて見守りサービスや交通支援など、地域の課題を解決する事業を実施している事業者もある。

地域新電力は地域密着での事業展開に強みがあり、地域課題解決への取組が更なる顧客ロイヤリティ獲得に寄与すると考えられる。一方で、このシュタットベルケモデルの適用には注意点もある。

まず、ドイツのシュタットベルケは、地域独占である配電事業や地域熱供給事業などにおいて収益を上げ、それを交通などの赤字部門に回す構造になっているが、日本の地域新電力はこれらの収益源を持たないことに留意が必要だ。

次に、シュタットベルケは19世紀から今日までの長い期間をかけてそれぞれの地域で確固たる地位を築いており、黎明期である日本の地域新電力とは、現時点では資金も人材も認知度も大きな差があることは認識しておかなければならない。特にシュタットベルケから学ぶべき点として、人材育成が挙げられる。シュタットベルケは基本的に行政からの出向を受け入れることなく自前で専門人材を抱え、この専門人材が、大手電力会社に負けることなくシェアを握るシュタットベルケの強さの源泉となっている。一方、現在の多くの日本の地域新電力は、新電力業務の多くを他地域の民間事業者に委託し、従業員なしのところも多い。今後、地域における人材育成が必要である。

3-4 地域新電力の事例紹介

地域新電力は、自治体関与のものだけでも約80に上り、運営形態、事業内容、課題も様々である。ここでは、他の地域新電力や自治体、地域エネルギー関係者にとって特に参考になると思われる特色ある地域新電力の事例を紹介したい。

1　地域新電力の先駆け――中之条パワー（群馬県中之条市）

一般財団法人中之条電力は、日本で初めて電力販売を主力事業とした地域新電力として２０１３年に設立された。群馬県中之条町は、２０１１年の東日本大震災を受け、再生可能エネルギー推進条例を制定するとともに、「再生可能エネルギーのまち中之条」宣言を行うなど、再エネ推進に力を入れてきたことで知られる。町自身でも再エネ事業を行い、３箇所合計約６MWの太陽光発電、１３５kWの小水力発電を行っている。

再エネ導入が進みつつある中で、町が次のステップとして目指したのは、これら地域再エネを地域で使うための地域新電力設立だった。町が地域新電力設立のためのパートナー事業者を公募し、V・Powerが選定された。そして、中之条町（60％）とV・Power（40％）が出資して一般財団法人中之条電力が設立され、２０１３年に特定規模電気事業者として登録、新電力としてスタートを切っている（図３・12）。

その後、中之条電力は電力システム改革に対応した小売電気事業を行う会社として、２０１５年11月に㈱中之条パワーを１００％出資子会社として設立。同年12月から特定規模電気事業者としての事業を継承している。現在は、中之条パワーが前述の町所有の再エネからのＦＩＴ電気などを地域の公共施設、民間施設、家庭向けに供給し、中之条電力は、エコツアーや小水力開発に向けた調査など（小売電気事業以外の）再エネ普及のための業務全般を行う。

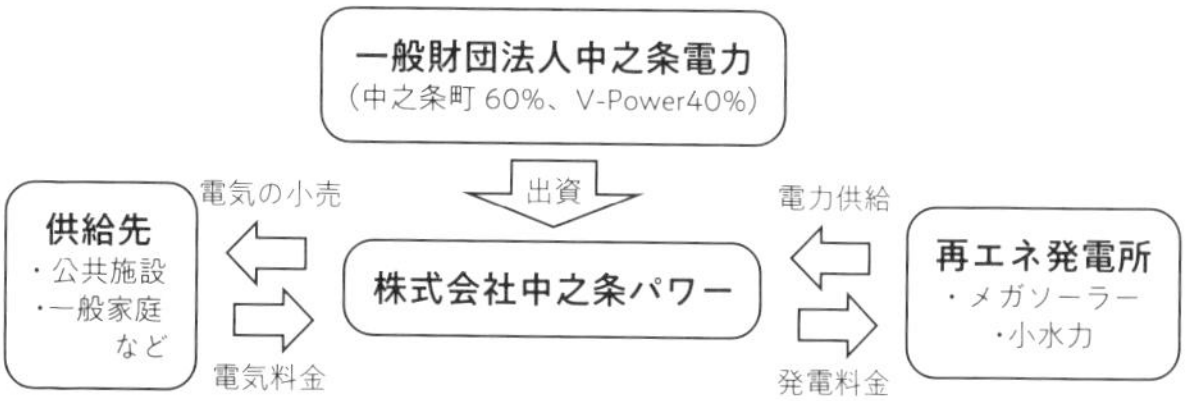

図3-12　中之条パワーの事業概要

再エネのまち中之条を盛り上げる取組

中之条パワーの特質すべき点は、日本初となる地域新電力であることはもちろんのこと、2013年のパートナー事業者募集の段階から町としてノウハウの地域化を目指していたことである。町は、地域新電力について、パートナー事業者に任せきりにするのではなく、地域人材で運営していこうと考え、「公募要項にもパートナー事業者からの業務ノウハウ提供を要件として明記していた」（当時エネルギー対策課長で現在中之条パワー代表の山本政雄氏）。パートナー事業者からノウハウ提供を受け、現在、多くの新電力業務（総務、営業、顧客管理・料金請求など）を自社で実施する。

中之条パワーでは、小売電気事業と併せ、様々な試みがなされている。例えば、ふるさと納税の返礼品に、町産のＦＩＴ電気を中之条パワーから供給する取組である。２０２０年９月時点で約60件の申込があり、約１７００万円のふるさと納税が集まった。町の財政規模からみて少なくない額だ。ふるさと納税に関する電気の返礼期間後も引き続き中之条パワーと契約を継続する家庭も少なくなく、一定の効果を感じている（同山本氏）。

また、中之条町は、中之条パワーと連携し、卒ＦＩＴ家庭向けに再エネ促進プロジェクトを実施。卒ＦＩＴの太陽光発電を所有する家庭は、余剰電力について中之条パワーに０円で電力受給契約を締結する代わりに、町から寄付電力量に応じ10円／kWhの地域通貨が進呈される。今後増加していく卒ＦＩＴ家庭の受け皿となる取組だ。

中之条パワーの電力供給先についても、当初は公共施設がほとんどを占めたが、徐々に地域の認知度も高まり、公共施設４５０件程度に対し、民間施設・家庭向けは約２５０件と着実に増やしつつある（２０２０年９月時点）。また、昼間の地産ＦＩＴ電気を有効活用するため、太陽光発電の発電量が多い昼間の電気料金を割り引いたプランを民間低圧向けに開発。地域電源を全面に押し出し、営業力を強化している。

さらに、実務面での重要な改善も行われている。当初は施設ごとに請求書が送られ、自治体担当者は煩雑な電力料金の支払い処理を行っていたが、これを一元化・簡略化し、自治体職員の業務量を大幅に削減した。

全国の自治体を見渡しても、所管課ごと・各施設ごとに電力契約を結んでバラバラに支払いをしているところは珍しくない。地域新電力により、この支払作業を軽減・簡略化できれば、それは地味だが重要な地域新電力の価値になるのではないか。

地域の中核人材の必要性

これら様々な取組・改善を行う中之条パワーの中核は、設立当時の中之条町役場エネルギー対策課長であり、現在の中之条パワー代表の山本氏である。山本氏は、中之条電力設立当時から一貫して取組を支える。自治体職員は通常２〜３年程度で異動となり、全くの他分野の職員が地域新電力担当になることも少なくない。そうなるとパートナー事業者との情報の非対称性が生まれ、事業者任せになりやすい。一方、中之条町の場合には、山本氏を中核とした地域人材によるノウハウ蓄積がなされ、地域での事業マネジメントが行われている。

地域新電力の先駆け・中之条パワーにおける地域人材を中心とした地域主体での運営は、「再生可能エネルギーのまち中之条」を盛り上げている。

2 地域経済循環でまちを強くする—ローカルエナジー（鳥取県米子市）

鳥取県西部に位置する人口約15万人の米子市。江戸時代初期から商業都市として発展し、地域の交通結節点・宿泊拠点、人の行き来が盛んな「山陰の商都」として発展してきたが、近年は他の地方都市と同様に人口流出や地域経済の衰退が地域課題として認識されていた。

このような中、地域外からの稼ぎを増やすこととともに、地域外への資金流出を食い止めることの重要性が認識され、2015年12月にローカルエナジー株式会社が設立された。鳥取県では、年間1千億円の電気代が地域外に流出していると試算（ローカルエナジー社試算）され、これをできるだけ地域に循環させる狙いだ。

ローカルエナジー設立にあたっては、地域経済循環や地域主体での実施が重視され、株主構成は、行政の米子市、境港市と、地域企業の㈱中海テレビ放送、山陰酸素工業㈱、三光㈱、米子瓦斯㈱、皆生温泉観光㈱

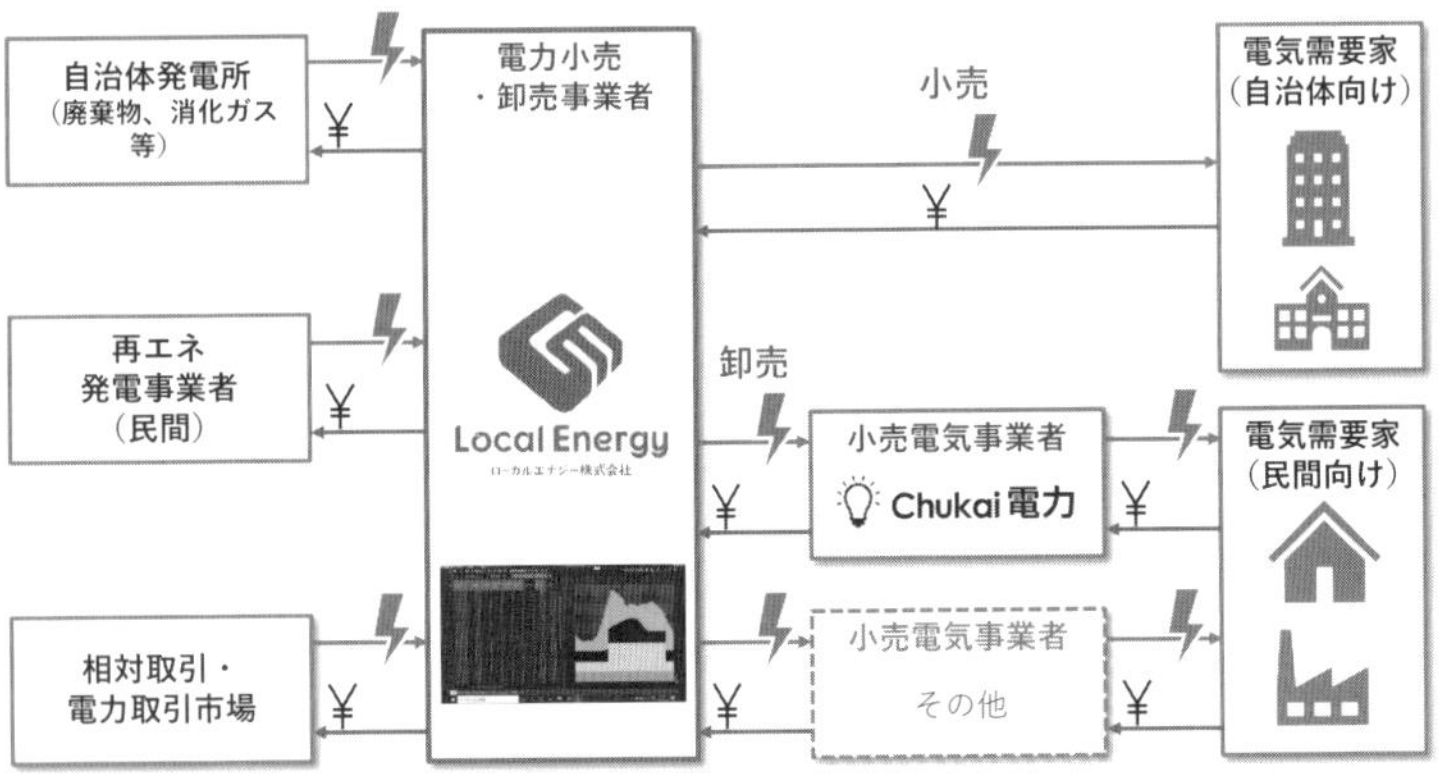

図3・13　ローカルエナジーの事業モデル（提供：ローカルエナジー社）

のオール地元体制となっている。中でも中海テレビ放送の役割は大きく、計画初期段階から同社が主導してローカルエナジーが設立・運営されている。また、「事業スピードを落とさず、民間の力を十分発揮していただくため、市の出資割合は抑えた。」（米子市担当幹部（当時））狙いがあり、米子市の出資割合は10％で設立されている。[注3・6]

ローカルエナジーの事業モデルと取組

ローカルエナジーは、米子市のクリーンセンターや消化ガス発電、民間事業が開発した太陽光発電、小水力発電、風力発電、地熱発電からの電力を調達し、米子市や境港市の公共施設に供給する。また、株主でもある中海テレビ放送（図3・13ではChukai電力）への卸売りを行い、中海テレビ放送が主力事業であるケーブルテレビの既存顧客を中心とした家庭・民間向けに電力販売を行う。

　また、先進的な取組にも積極的で、13の公民館に蓄電池（各9・8kWh）を設置し、VPP[注3・7]（バーチャルパワープラン

- 地球のエネルギーを効率的に利用し、地域外への資金の流出を削減。
- 災害時（停電時）は、非常用電源として活用し、レジリエンスに寄与。

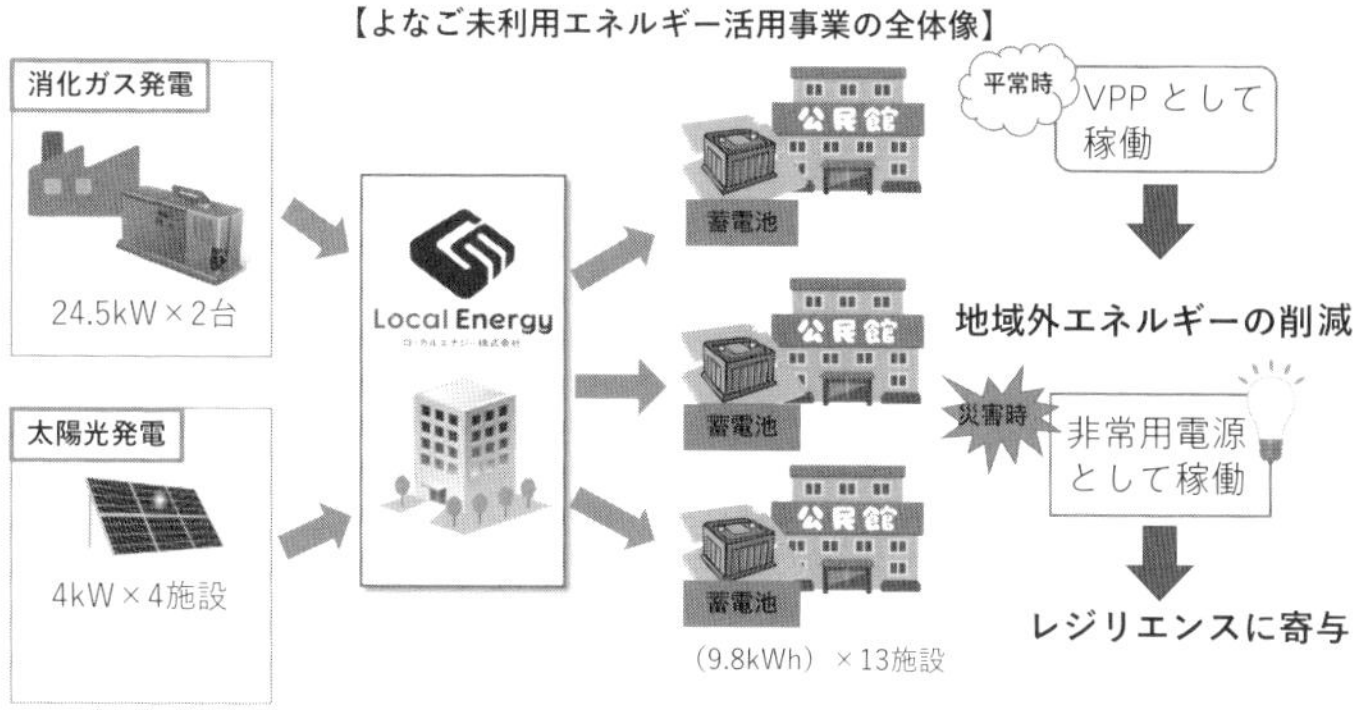

※「エネルギー構造高度化・転換理解促進事業費補助金（経済産業省資源エネルギー庁）」により実施。

図3・14　ローカルエナジーのVPP事業（提供：ローカルエナジー社）

ト）を構築している（図3・14）。具体的には、下水処理場に設置された消化ガス発電（24・5kW×2機）と避難所でもある公民館に設置された太陽光発電（4kW×4機）などを電源に各公民館に電力供給を行い、施設で使いきれない余剰電力は蓄電池に充電する。電力需要を遠隔監視して蓄電池の充放電を制御することで、電力卸売市場の価格の高い時間には蓄電池から放電して買電を減らし、卸電力市場（JEPX）の価格の安い時間に買電を増やして蓄電する。平時は蓄電池でこのようなVPP運用を行うとともに、非常時には非常用電源として活用し地域のレジリエンスにも貢献している。

この他、再エネ100％電力の公共施設への供給やBEMS（ビルエネルギーマネジメントシステム）による公共施設の省エネ管理などを手掛ける。人材育成にも力を入れており、小学校社会科見学（11件：324名）、中学校・高校講演会（12件：3500名）、講演ワークショップ（50件）などを通じ、環境教育や自社の経験・知見の他地域への提供も行っている（カッコ内は2021年12月時点の数値）。

業務の内製化によるノウハウ蓄積

ローカルエナジーは、地域雇用や地域経済循環を目的に、設立当初から需給管理を含めた様々な業務の多くを自社で内製化している。業務の内製化によって社内にノウハウが蓄積し、その後の様々な事業展開に結びついている。例えば、前述のVPP実証は、需給管理を内製化していることで得られた①各施設の消費電力量を30分値でリアルタイム把握できること、②需要予測ノウハウがあること、③JEPXとの売買ノウハウがあることなどが活かされている。他にも、AI（人工知能）を用いてJEPXの価格を予測するシステムを同じ山陰地域の地域企業であるシステムアトリエブルーオメガ（島根県松江市）と共同開発し、運用しているが、これらのシステム開発にもJEPXの入札実務ノウハウが十分反映されている。

また、需給管理をはじめとした業務の内製化により、独自のメニュー（地産電源の供給）が需要家に提供しやすくなったり、顧客の電力消費量がリアルタイムで把握できるため、省エネ提案に活用できたりと営業力・商品競争力の強化にもつながっている。

人材獲得

ローカルエナジーは、地元の働く場を創出しているが、同社の人材獲得方法も示唆に富む。10名のうち5名は女性であり、エネルギー事業者では珍しい女性が活躍する。また、U・J・Iターンでの就職、副業・兼業、テレワーク（そして新卒採用者もいる）といったように、柔軟かつ多様な働き方の職員で構成されている。優秀な人材を獲得するため柔軟な働き方を提供する。

成功要因

これら地域貢献する様々な取組を行うローカルエナジーは、地域新電力の成功例とされるが、その成功要因や成功プロセスを考えてみたい。

最も大きな成功要因は、やはり中海テレビ放送の存在だろう。地域の盛衰と一蓮托生の地域企業であるため、自分事として地域経済活性化、エネルギー代金の域外流出という課題に向き合い、ローカルエナジーによる地域新電力事業という手段を選択している。その目的は一貫しており、業務の内製化や地域企業の様々な連携につながっている。また、中海テレビ放送は、ケーブルテレビ事業という地域インフラ事業を展開しており、同じく地域インフラ事業である地域新電力事業との相乗効果があったことも大きい。前述のとおり、公共施設以外の需要家（家庭など）に対しては、ローカルエナジーから卸供給を受けた中海テレビ放送が電力を販売するが、ケーブルテレビ事業と併せ、営業、顧客管理、料金徴収、コールセンターなどを一元化できる。

次に、設立までのプロセスも示唆に富む。設立までには、総務省の分散型エネルギーインフラプロジェクト事業などを活用し、調査・マスタープラン策定が行われているが、その過程では、地域の様々なステークフォルダー（自治体、地域企業、金融機関など）が一同に会する協議会が開かれ、検討当初はオープンな議論が展開された。協議会で議論を重ね、中心的に参加する地域企業などがある程度絞られてきた段階で、これら地域企業や自治体で合宿を開催し、より深いビジョンや数値目標、各主体の役割、事業戦略、組織体制が形作られた。まずは広くオープンな場で様々な意見を取り込み、その後、それらを深化させ数値目標や事業戦略などに落とし込むプロセスを踏んでおり、これらが地域のステークフォルダーの合意形成やビジョンの共有につながっている。

地域経済循環を目指し、自社でのノウハウ内製化を重視しつつ、様々な事業展開を行う同社の取組は、環境省グッドライフアワード環境大臣賞（自治体部門）や新エネ大賞（資源エネルギー庁長官賞）などそのコンセプトが高く評価されている。これまで75件：383名（2021年11月時点）の視察受け入れを行うなど、他の地域新電力への影響も大きい。

3 電力を手段とした地域課題解決——三河の山里コミュニティパワー（愛知県豊田市）

三河の山里コミュニティパワー（以下、愛称「MYパワー」という。）は電力を手段とした地域課題解決を目指すが、その経緯が特徴的だ。愛知県の豊田市は、世界企業のトヨタ自動車㈱の本社を有する市街地がある一方で、地域の7割を中山間地が占める。ここでは、他の全国の中山間地域同様に、利便性の高い公共交通を整備することが困難であり、高齢者などが不便な環境を強いられている。そこで、2016年より豊田市などにより、豊田市足助地区・旭地区・稲武地区において、地域住民を巻き込んだ地域医療及び地域交通システム構築の実証実験「たすけあいプロジェクト」が実施された。

同プロジェクトでは、高齢者世帯などを対象に、①おでかけ促進、②移動支援、③健康維持をサポートする取組が行われた。例えば移動支援の「たすけあいカー」は、地域住民のボランティアドライバーが単独での移動が難しい高齢者などを運ぶ取組で、地域住民はタブレットのアプリや電話から予約し、システムでマッチングする。ボランティアドライバーは、ガソリン代実費のみを地域ポイントで精算される（無償運送の位置づけ）。

たすけあいプロジェクト継続のため地域新電力を設立

たすけあいプロジェクトは、2018年度で実証実験が終了。その後は地域で自立的に運営していく必要があり、実証地区以外の中山間地区にも拡大していくことが目指された。そこで、「たすけあいプロジェクト」の運営費に電力販売で得た利益を当てるため、2019年にMYパワーが設立された。豊田市の中山間地域においては、年間約25.5億円[注3・8]の電気代が地域から流出し、発電燃料の輸入元である海外などに流れていたが、この資金を地域に循環させ、地域課題解決のため「移動支援」や「見守り支援」などに充当する狙いである。地域課題を地域住民が当事者意識を持って解決していくために、その活動財源を電力切替によって住民自ら獲得してもらいたいという地域自治の考えである。

また、相乗効果も期待された。「たすけあいプロジェクト」の持続的な運営には一定の利用者数が不可欠だが、ドライバー登録数が頭打ちであったことや、利用者（乗客）が比較的少数のヘビーユーザーとなっていたことなどから、裾野拡大が課題となっていた。地域住民の当事者意識を育てていく必要があったが、

MYパワーによる電力販売がその接点となることも狙いとされた。

たすけあいプロジェクトは、もともと地域の医療機関（足助病院）が中心となった団体が実施していたが、一般社団法人三河の山里課題解決ファーム、豊田市、中部電力の3者協定に基づき設立されたMYパワーがこれを引き継いでいる。なお、MYパワーは当時まだ少なかった大手電力と連携した地域新電力としても注目された。

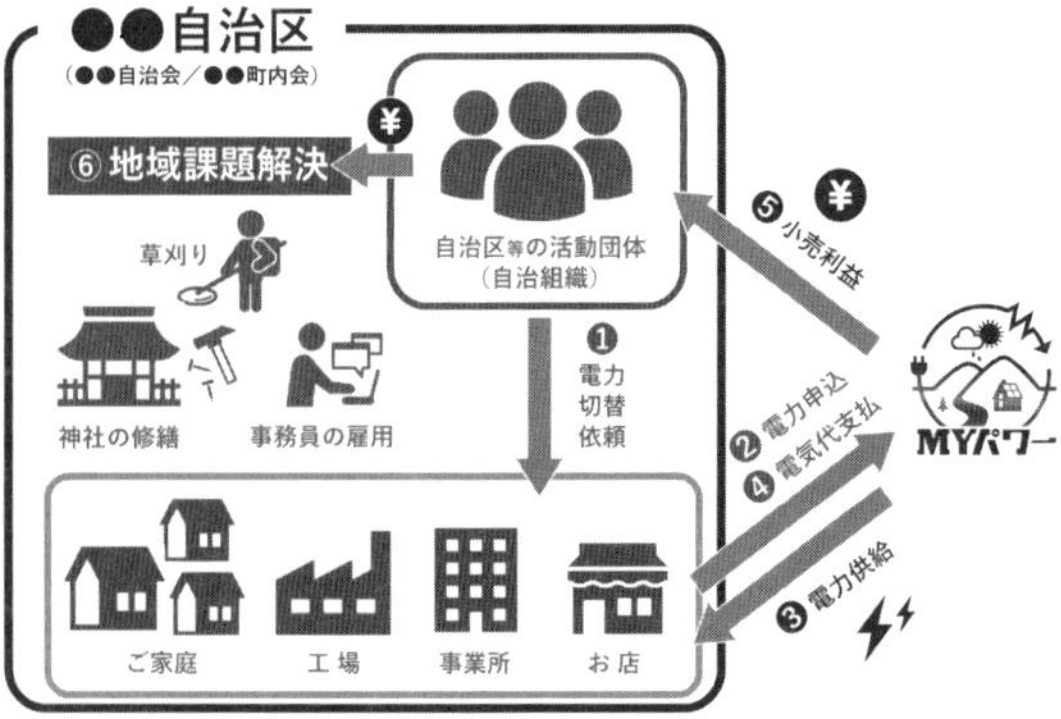

図3・15　おたがいさま電力（提供：MYパワー）

地域課題解決に向けた事業内容

2021年12月末現在で、MYパワーは、豊田市の公共施設、民間施設や家庭など約750施設に供給をしており、契約電力は10MW超となっている。電気販売を通じた地域課題解決として、たすけあいプロジェクト以外にも様々な取組を行う。例えば、自治区などの地域単位で電気をMYパワーに切り替えてもらい、そこで得られた利益をその地域の課題解決に充てる「おたがいさま電力」を開始。草刈りで困っている地域は草刈りの費用に充填したり、積立ててまとめて神社やお社の修繕費用に充てることなどが想定されている。地域の自主財源を創出する取組だ（図3・15）。

また、MYパワーは、地域出資などにより地域に小規模再エネの開発を進める方針をとっており、まずは地域出資・寄付により、地域病院である足助病院の駐車場に太陽光発電付のカーポートを設置（図3・16）。EVやPHVの充電が可能なほか、病院施設へも電力供給され、災害時の非常用電源ともなる。

さらに、同社は、地域課題を丁寧に把握するため地域住民へのアンケート調査も実施している。調査結果では、特に高齢者の困りごとは多様で、個別ニーズに応じた対応が重要であることが示された。また、これらの困りごとをシェアして対応することで助け合いが成り立つことも分かってきた。同社では、これら困りごとを助け合って解決するマッチングスキームも模索している。

図3・16　足助病院に市民出資で設置されたソーラーカーポート
（提供：MYパワー）

マルチステークフォルダー型運営と今後

MYパワーの事業運営の特徴として、福祉事業者、移住促進団体、空き家活用団体など地域の様々な主体と連携するマルチステークフォルダー型であることが挙げられる。地域の課題解決に応じて多様な連携が必要になっていると考えらえるが、この多様な連携を可能にしているのは、MYパワーの代表であり、足助病院の名誉院長の早川富博氏の存在が大きい。現役の内科医でもあり、長年地域医療を行う早川氏の地域各主体との信頼関係がMYパワーへの共感と具体的な連携を生んでいる。1996年に足助病院に赴任した早川氏は、病気予防、健康寿命を延ばすための仕組みづくりをライフワークにしており、たすけあいプロジェクトの中心的存在となっている。

ＭＹパワーは、当初、三河の山里課題解決ファーム、あいち豊田農業協同組合、豊田信用金庫の出資で設立されたが、その後、増資と地域への株式譲渡がされており、２０２１年12月時点では、三河の山里課題解決ファーム（69・９％）、あいち豊田農業協同組合（14・６％）、豊田信用金庫（10・１％）、地域住民（５・４％）となっている。今後、三河の山里課題解決ファームが持っている株式を順次地域に譲渡し、地域で運営していきたい考えだ。

同社の設立時から一貫した、電力はあくまで手段で、目的は地域課題解決だという姿勢は徐々に共感を広げており、さらに取組が拡大し、実施地域も広がることが期待される。

4 混乱時期を経てガバナンスを改革――みやまスマートエネルギー（福岡県みやま市）

福岡県南西部に位置する人口４万人弱のみやま市は、人口減少や高齢化など他の地方都市と同様の課題を抱える。東日本大震災以降のみやま市は、地域産業の振興や地域経済循環などを目的に再エネの推進に力を入れた。２０１３年には、約16年間塩漬けの土地であった市有地を活用し、市内商工事業者へ呼びかけるとともに市自らも出資してＳＰＣ（特別目的会社）を立ち上げ、５MWのメガソーラーを設置した。

２０１４年には、国が募集していたバイオマス産業都市に応募し認定を受け、２０１８年にはみやま市バイオマスセンター「ルフラン」を本格稼働している。日照時間が長く太陽光発電の採算性も高く、市の後押

column

地域新電力と大手電力との連携可能性

地域新電力と大手電力との連携事例が徐々に出始めている。中部電力はMYパワーの他にも、愛知県岡崎市などとともに岡崎さくら電力に出資。また、中部電力グループの販売事業会社である中部電力ミライズは、岐阜県恵那市及び日本ガイシとともに恵那電力に出資している。

この他、秩父新電力（埼玉県秩父市出資）は、秩父市及び東京電力エナジーパートナー㈱と包括連携協定を締結している。北陸電力、氷見市及び地域団体・金融機関が出資して設立された氷見ふるさとエネルギーは北陸電力の電力の取次販売を行う。2021年11月には、となみ衛星通信テレビ、北陸電力及び富山県南砺市などが出資してなんとエナジーが設立されている。となみ衛星通信テレビは地元のケーブルテレビ会社であり、電力以外の地域インフラ企業と大手電力の連携による地域新電力の事業展開が注目される。

大手電力も「地域」の会社であり、これまでも地域密着を大切にしてきたが、なかなか個別地域の課題解決までは手が回らない。一方、地域新電力側も地域再エネだけでは不足する電源を大手電力から調達したい。地域新電力と大手電力が連携し、地域にメリットある事業が広がることが期待される。

しもあり地域住民における太陽光発電設置も盛んである。

また、2014年からHEMS（庭用エネルギー管理システム）の実証事業を実施。市内世帯の約7分の1となる約2千世帯にHEMSを導入した。

こうした取組を進める中、みやま市は市内に導入が拡大している再エネの地産地消やHEMSを使った市民向けサービス実施などのため、地域新電力みやまスマートエネルギーを設立する。電力全面自由化を翌年に控えた2015年のことだ。出資比率は、みやま市55%、九州スマートコミュニティ（その後「みやまパワーHD」に名称変更）40%、筑邦銀行5%で立ち上がった。

地域サービスに全国展開、一線を画した存在だった

2016年4月からは地域新電力としては日本で初めて家庭向けに電力の供給を開始。また、HEMSを活用した高齢者の見守りサービスや、市内商店の品物の宅配サービス、地域食材が味わえるレストランやコミュニティスペースの入った「さくらテラス」の建設など、地域課題解決を目指した取組を矢継ぎ早に実施した。

さらに、その事業領域はみやま市に閉じず、全国的な業務拡大を進めた。まず、鹿児島県いちき串木野市や肝付町、大分県豊後大野市、竹田市などの地域新電力との連携を進めた。続いて、東京都の監理団体であり新電力事業も手がける東京都環境公社の需給管理支援を受託した。また、東京都目黒区の公共施設に、目黒区の連携都市である宮城県気仙沼市のFIT電気を供給した。特定地域で活動するのが一般的な地域新

表3・7　みやまスマートエネルギーの決算状況（出典：みやまスマートエネルギー）

区分	第3期 2016年度	第4期 2017年度	第5期 2018年度	第6期 2019年度
売上高	767,920	1,811,014	2,420,082	2,472,310
経常利益	-16,734	4,969	53,597	144,119
当期純利益	-18,507	1,067	42,482	104,051
資産合計	467,146	699,260	653,393	551,241
純資産合計	-15,907	-14,840	27,642	131,693

電力の中にあって、みやまスマートエネルギーのビジネスモデルは極めて特徴的だった。

当時、多くの地域新電力が公共施設などへの電力の供給にとどまっており、みやまスマートエネルギーの先進的な取組は他社とは一線を画していた。このため、取材や視察が殺到し、ピーク時の視察者は年間800人に上った。みやまスマートエネルギーを視察し、地域新電力の設立検討を本格化した地域も多い。

赤字決算に債務超過、運営やガバナンスで混乱

一方で、注目度の高さゆえか、みやまスマートエネルギーは多くの批判報道にもさらされた。同社は2016年3月期と2017年3月期は最終赤字を計上。2018年3月期決算でようやく100万円強の黒字を出したが、一時期は債務超過に陥った（表3・7）。

赤字決算や債務超過については、市議会などからも厳しい指摘が相次ぎ、批判的な報道もされた。その後、債務超過は解消し、2020年3月期決算では1億円を超える純利益を計上している。

また、急拡大した業務と人員に経営が追いつかなかったためか、事業運営やガバナンスについて様々な不備や混乱が報道された。2017年には、労働基準法

に基づく労使協定を結ばないまま時間外労働をさせていたなどとして、労働基準監督署から労働環境改善に関して9件の是正勧告、3件の指導を受けた。

2018年には、環境省からみやまスマートエネルギーへの委託事業で、補助対象としての人件費が過剰に請求されていたとして、環境省は106万円の返還を請求している。報道によると、みやまパワーHDからの出向者を、みやまスマートエネルギーの従業員としたり、一般社員をリーダー職とするなどして、結果的に人件費が過剰に計上されていたとされた。

混乱を決定付けたのは、みやまスマートエネルギーとその株主企業のみやまパワーHDの関係だ。両社の間の一部業務委託について、代表取締役が共通であり利益相反取引に当たることから取締役会の承認が必要であったが、それがなされていなかったことが発覚したのだ。

この状況に全国展開していたみやまスマートエネルギーへの経営方針への批判も重なった。みやまスマートエネルギーの設立を後押しした西原親前市長から、松嶋盛人市長に交代した2018年10月には、市が「みやま市地域新電力調査委員会」を設置した。

当時、みやまスマートエネルギーや連携していた各地の地域新電力の需給管理は、みやまパワーHDが受託。みやまスマートエネルギーを親とするBG(バランシンググループ)を組成していた。

2020年2月にまとめられた調査報告書は、前述の委託手続きの不備を認め、みやまスマートエネルギーに損失が生じた可能性を指摘した。また、みやまスマートエネルギーとみやまパワーHDの社長が同一人物であることによって利益相反取引が継続する体制を早急に見直すことが必要であること、第三セクターとして、さらなる透明性と公共性を図る必要があることが指摘された。

みやまスマートエネルギーのガバナンス改革

調査報告書を受け、みやまスマートエネルギーと、同社の筆頭株主であるみやま市は運営・ガバナンスの改革に動く。2020年5月の株主総会において、設立当初からの代表取締役は退任。後任には、市の立場でみやまスマートエネルギーにも継続的に関わってきた元環境経済部長が就任した。みやまスマートエネルギーは翌6月、みやまパワーHDが保有する自社株を全株買い取り、市はみやまスマートエネルギー設立時から一貫して市側の担当を務めていた職員を参与として同社に派遣。外部有識者2人をアドバイザーとしてコンサルティング契約するなど、内外の人材を活用し体制を強化した。

需給管理など、みやまパワーHDへの業務委託の見直しにも着手し、2021年度からは需給管理を内製化している。

そして、経営方針も大きく見直しを図った。全国への積極的な事業展開は中止し、みやま市を中心とした地域に集中することで、市内の契約倍増などを進める方針へと舵を切った。

みやま市が示す地域新電力の運営・ガバナンスのあり方

みやまスマートエネルギーの事例は、地域新電力の運営・ガバナンスに多くの示唆がある。ここでは3つの要点を指摘したい。

第1が議会との関係である。地域新電力の運営上、議会との関係は非常に重要である。みやま市議会でも、みやまスマートエネルギーが黒字転換するまで、議会で赤字決算の追及が続いたが、各年度の損益に感情的になることなく、将来展望などを踏まえた冷静な議論が議会でできるかがポイントになる。そのためには、議会、行政、地域新電力が長期的な目標と具体的な手段を共有しておくことが重要だ。

第2にステークホルダーと経営方針を共有し合意形成する重要性だ。みやまスマートエネルギーの全国展開という経営方針は、当初から市内で批判があり、結果として最後まで受け入れられなかった。みやまスマートエネルギーの低圧の年間販売電力量は、2018年度実績で2万MWhを超え、地域新電力の中では飛び抜けて大きい。しかも、主にみやま市内と周辺地域への供給であり、みやまスマートエネルギーが市内での事業を後回しにして、全国展開していたわけではない。一方で、議会などとの温度差があったことも事実だ。丁寧な対話による経営方針の共有やステークホルダーとの合意形成の重要性を改めて示した事例ではないだろうか。

そして最後は、やはり地域新電力には、高いコンプライアンスが要求される点である。法令違反は当然あってはならないが、ひとたび不備や不適切な処理を議会や報道で指摘されると、信頼の回復は容易でない。みやまスマートエネルギーは利益相反取引において取締役会の承認を得ていないことが問題視された。利益相反自体は取締役会などの手続きを踏めば法令違反ではないが、疑念を生むことにもなりかねず、高い透明性を求められる地域新電力に馴染まない方法だったとも考えられる。

どうしても価格重視になってしまう電力販売の一本足打法では、いずれ経営が難しくなることが想定されるため、様々な事業展開を検討している地域新電力は多い。事業領域を拡大し、人員を増やしていく際にも、高いコンプライアンスを維持していくことが欠かせない。コンプライアンスの維持には、自治体が適切にチェックできる体制の整備、積極的な情報公開、社外取締役の設置など様々な方法があるが、それぞれの地域新電力に合った手法を取り入れていくことが必要となる。

地域新電力のリーディングカンパニーであったみやまスマートエネルギーを目指し、設立を決断した地域新電力は少なくない。また、現在でも、みやまスマートエネルギーの販売電力量は地域新電力の中ではトップクラスだ。電力小売事業以外の事業範囲も広い。みやまスマートエネルギーが今なお、地域新電力を代表する1社であることに変わりはない。混乱期を経て、地域密着の強化を改めて打ち出した新生みやまスマートエネルギーが今後、どのように地域に価値を提供していくのか注目される。

5 脱炭素に向けて地域を巻き込む―たんたんエナジー（京都府福知山市）

2018年12月に設立されたたんたんエナジーは、京都府福知山市と協定を結ぶ地域新電力である。社名の由来は、京都府北部地域の「丹波《たんば》」、「丹後《たんご》」からくる。

熱い思いの個人が集まり設立

設立の発端は、京都府が地域エネルギー事業体設立について検討したことに始まる。この時の京都府の結論は、新電力を取り巻く状況が流動的として「すぐには設立せず継続検討」であった。しかし、設立の検討会に参画していた京都府地球温暖化防止活動推進センターのメンバーなどが集まり、「地域新電力によって、地域による地域のための再エネ普及の基盤ができるのではないか」との熱い思いのもと、個人で出資金を出し合って、設立に至っている。このような経緯から、同社は、特に再エネ利活用や地域脱炭素への思いが強い点が特徴である。

再エネ100%による地域ブランディングに貢献

設立後の同社は、福知山市の本庁舎や公民館、小中学校、そして福知山城など40施設以上に100%再エネ電力を供給。城に100%再エネ電力を供給したのは全国初だったため、多くのメディアにも取り上げられ、地域のブランディングにも一役かっている。福知山城という地域のシンボルで100%再エネ電力が使われていることは、その自治体が地域脱炭素化に力を入れているというメッセージにもなるだろう。

また、同社は設置後10年が経過しFIT期間が終了した家庭用太陽光発電の余剰電力を各家庭から買い取って、福知山市の小中学校などへ供給している。卒FIT電気の買取価格は10円/kWh（税込）で関西電力より約20%高い。市民からは、「自分たちが発電した電気を、地元の学校で使ってもらえるなら、その方がいい」と好評だ。

加えて、たんたんエナジーと家庭用電気の契約をした全員に対し、丹波・丹後地域のストーリー性のある地産食品をプレゼントし、顧客と地域食品生産者とも結びつけるキャンペーンも実施。電気以外の地産地消も促進し、地域経済循環を促す取組となっている。

市民出資型太陽光発電オンサイトPPA開始

2021年11月には、たんたんエナジー100%出資の子会社による市民出資型太陽光発電でのオンサイトPPA事業を開始（図3・17）。第一弾として、市の公共施設3箇所の屋根を借りて約350kWの太陽光発電を設置する。また、避難所に指定されている2箇所には蓄電池を、うち1箇所にはV2B（vehicle to building）を導入する。V2Bは、通常時は電気自動車の充電に、停電時には逆に電気自動車からの給電に利用できるため、地域の防災力向上にも寄与する。

図3・17　市民出資型オンサイトPPA実施発表の様子（2021年11月）（提供：たんたんエナジー社）

たんたんエナジーは、設立後すぐに、福知山市に加えメインバンクとなる京都北都信用金庫、プラスソーシャルインベストメント、龍谷大学と5者協定を結んでいるが、プラスソーシャルインベストメントは社会的投資をサポートする会社であることからも分かるとおり、設立当初からこの市民を巻き込んだ再エネ開発が計画されていた。

市民に温暖化対策について考えてもらうことを目的にしていることから、参加しやすいように1口1万円からの出資を可能としている。また、3口以上の出資者には福知山城や動物園・植物園などの入場券セット、京都北部の体験・宿泊コンテンツに使えるクーポン券などの特典がある。市内の観光振興にもつながる仕組みとなっている。なるべく多くの人に参加してもらえるように出資上限を30口に設定したが、募集総額の300万円は早期に達成されている。

まずは3施設でのパイロット実施だが、ノウハウを蓄積しつつ更なる拡大の検討を進めている。

市のパートナーとして

福知山市は2021年2月に、2050年までにCO_2排出量実質ゼロとするゼロカーボンシティを宣言。同年4月からはエネルギー・環境戦略課（4名体制）を新たに設置し、同課を庁内の司令塔として脱炭素を進めている。

同市によると、市内で再エネ開発を検討している事業者から、たんたんエナジーへの売電についても打診があるという。今後、FIT制度を使わない再エネ開発においては、売電先の確保が事業上の重要な要素となる。市内に信頼できる地域新電力がいると、地域の再エネ導入にもつながると言える。

たんたんエナジーは市の相談相手としての役割も発揮し始めている。例えば、中学校における省エネ教育についての相談を市が中学校から受けた際、たんたんエナジーを通じて専門家とつながり、断熱ワークショップを実施する運びになる予定という。たんたんエナジーの専門知見やネットワークが活かされる形だ。

福知山市は、協定に基づき、たんたんエナジーを市のエネルギー施策をともに推進するパートナーとして位置づけており、前述のオンサイトPPAや再エネ100%電気供給以外にも同社と連携した公共施設への省エネ診断や環境教育など幅広い取組を行う。市は、ゼロカーボンを進めるにあたって、今後も様々な施策を予定しており、たんたんエナジーとの連携により施策に実効性を持たせたい考えだ。

6　地域課題を深掘りして競争力に―たじみ電力（岐阜県多治見市）

東日本大震災直後の2011年6月に設立された岐阜県多治見市のエネファント㈱は、住宅用太陽光発電の販売を中心に事業をスタート。その後、現在は産業用太陽光発電、電気販売、電力アグリゲート事業、レンタカー事業と事業を拡大し、現在地域人材を中心に22名（2021年7月時点）の従業員を抱える（小売電気事業などは「たじみ電力」の名称で展開）。

多治見市の課題

人口約11万人の岐阜県多治見市は、他の全国の地方都市同様に人口減少が課題となっている。若者が進学・就職を期に都市に出て、多治見に戻ってこない。また、多治見は車社会であり、生活に車が欠かせないが、その車の購入・維持管理コストは若者に大きな負担となっている。

暮らしに不可欠な車の負担を減らしたら若者は地元に帰ってくるのではないか、そんな仮説のもと、たじみ電力は地域課題解決にアプローチし、車×若者支援を軸として「働こCAR」を展開している。

「働こCAR」のスキームは、①たじみ電力が地元企業にEV（電気自動車）をリース、②地元企業は新

図3・18　「働こCAR」のスキーム（提供：たじみ電力）

入社員にEVを貸し出し、③EVが駐車している間（仕事中）はたじみ電力がEVを蓄電池として活用する（図3・18）。新入社員にとっては、自動車購入・ガソリン代・税金なしで月額19800円でEVが使え、車にかける費用が大幅に削減できる（就職後の新生活ですぐに生活が安定）。また、地元企業にとっては、採用時のアピールや職員の福利厚生に活用できる。たじみ電力は、本サービスで地元企業と関係が構築でき、太陽光発電販売や電力販売にもつながるとともに、EVを蓄電池として活用することで卸電力市場価格に応じEVを制御し、電力調達コストを最小化できる。

駐車場という地域のポテンシャル

多治見市は車社会ゆえに駐車場が多い。その点に注目し事業化しているのが「ソーラーチャージャー事業」である（図3・19）。スキームは、①たじみ電力が太陽光発電付きのカーポートを費用負担して設置し、FITを活用して余剰売電、②土地所有者はカーポートを無料で利用可能、③非常時には太陽光発電が非常用電源として地域住民に開放されるというものだ。地域防災拠点に設置して、地域のEVオーナーが非常時にEVを持ち込んで電気の使える避難所とする「EVレスキュー」と呼ばれる体制も構築している（図3・20）。

無料で太陽光発電付きカーポートを設置してもらえるため、地域住民・企業からの問合せも多く、4台以上の広さの駐車場という制限を付けているにも関わらず「月に20～30件のペースで設置を進めている」（同社の磯崎顕三社長）。2、3台分しか駐車スペースがないなど設置を断念するケースも多く、地域ニーズは高いという。

今後、EVが拡大していくことが見込まれるため、「働こCAR」や「ソーラーチャージャー事業」の需要も高まりそうだ。

小売電気事業でも地域密着

同社は、2018年10月には小売電気事業者として経産省に登録。2019年から開始した小売電気事業でも地域密着の取組は変わらない。地域飲食店の応援のため契約者に対し地域飲食店のチケット配布。また、子育て世代応援のため3歳未満の子育て家庭にはオムツ1年分進呈と、貢献先を明確にして事業を展開している。

新型コロナが拡大すると、在宅ワークが増え家庭の昼間の消費電力が増える「巣ごもり需要」が発生したが、こんな状況なのに、昼間の高い電気代を取るのは電力会社としてカッコ悪いとの声が社内からでた（同社の磯崎顕三社長）ことから、「ステイホームプラン」を新設。コロナ拡大という状況の中で、需要家目線に立ち、日中の電気料金を朝夕の料金に引き下げている。

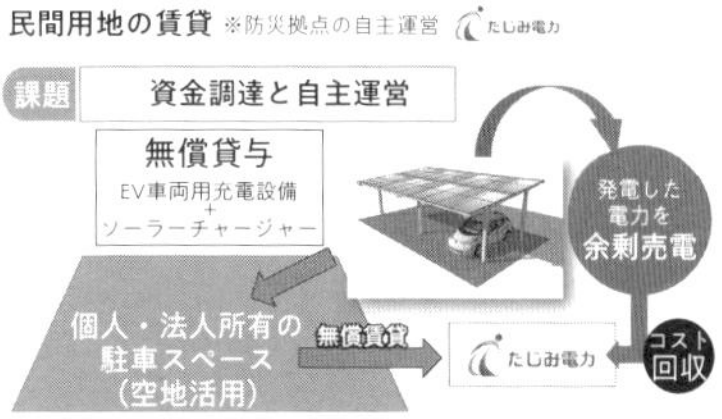

図3･19　ソーラーチャージャーのスキーム（提供：たじみ電力）

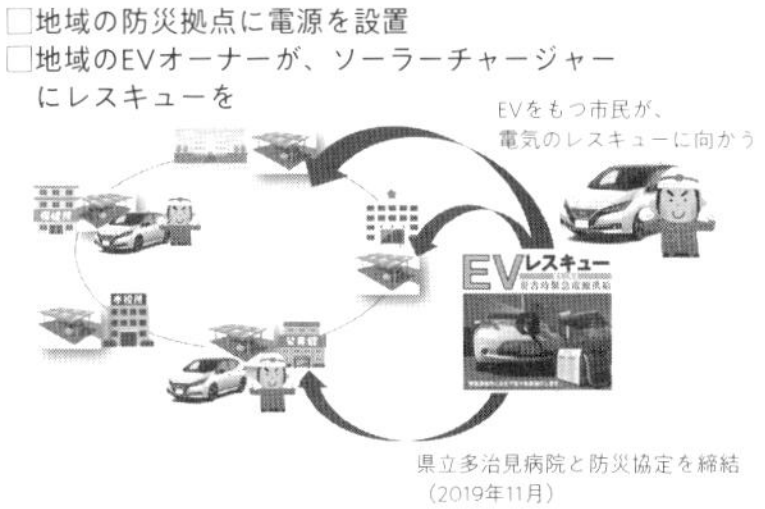

図3･20　非常時にはEVが駆け付け電気の使える避難所に（提供：たじみ電力）

マーケティングは主にSNSを活用して多治見市を中心とした東濃エリアのみをターゲットに実施。地域密着を徹底する。特質すべきは顧客の離脱がほぼないことである。引っ越しで数件の解約があった以外、解約はないという（2021年6月時点）。一般的に、安さにつられてスイッチングする顧客は、また別の安い新電力に乗り換える傾向があると言われるが、たじみ電力を選ぶ顧客は安さ以外に価値を感じていることが分かる。

震災後に太陽光発電販売でスタートした同社は、地域の総合エネルギー企業に成長しつつあるが、そのビジネスモデルの中心には地域課題解決がある。たじみ電力の地域エネルギー企業としての地域住民・企業目線での事業展開に学ぶところは多い。

7 行政訴訟を期に存在意義を発揮──いこま市民パワー株式会社（奈良県生駒市）

奈良県生駒市は2017年7月、再エネ地産地消や利益の市民還元などを目的に、地域新電力「いこま市民パワー」を設立した。出資金は1500万円で、生駒市が51%を出資。大阪ガスが34%、生駒商工会議所が6%、南都銀行5%、市民エネルギー生駒4%と続く。

生駒市は大阪市や京都市に近い住宅都市であり、市民の行政への参画も積極的な地域で、いこま市民パワーは、この市民力の活用を大きな柱として運営されている。市民力を象徴するように、出資者には市民団体「市民エネルギー生駒」が名を連ねる。市民団体が出資する新電力は全国初で、市民エネルギー生駒が手掛ける市民出資の太陽光発電を新電力事業の電源に使っている点も、いこま市民パワーの特徴である。

地域新電力への住民監査請求が提起

生駒市が、「周辺市より割高な電力を購入している」として、住民監査請求を受けたのは2018年11月のことだった。一部住民が小紫雅史市長に対して、いこま市民パワーに支払った電気料金の全額に当たる2億5千万円を市に返還するよう求めたのだ。

背景には、関西電力による安値攻勢によって、周辺自治体の電力調達価格が低下したことがある。この時期、新電力が供給していた周辺自治体の公共施設の電力調達入札において、関西電力が極めて低価格で落札していたのだ。

公共施設の入札では、あらかじめ前年実績や大手電力の標準価格などをもとに「予定価格」を算出する。いくつかの公共施設では、関電の入札価格は、その半額（落札率50％程度）という安さだった。

市の監査委員は住民監査請求に対して、政策遂行上、市がいこま市民パワーから優先的に電力を購入する必要があることを認め、「直ちに違法または不当であるということはできない」と2019年1月に退けた。その後も、同じ住民が同様の内容で対象時期を変えて監査請求をしたが、2019年12月と2020年12月にそれぞれ棄却している。原告側はこれを不服として、行政訴訟へと発展した。

この監査請求における監査委員の見解は、一般競争入札と、随意契約でいこま市民パワーから電力を購入する場合とに差額が生じるのであれば、それは市の「政策遂行のコスト」であるというものだ。生駒市は、いこま市民パワーを通じて、低炭素化や住民サービスの向上といった政策目的を果たそうとしているため

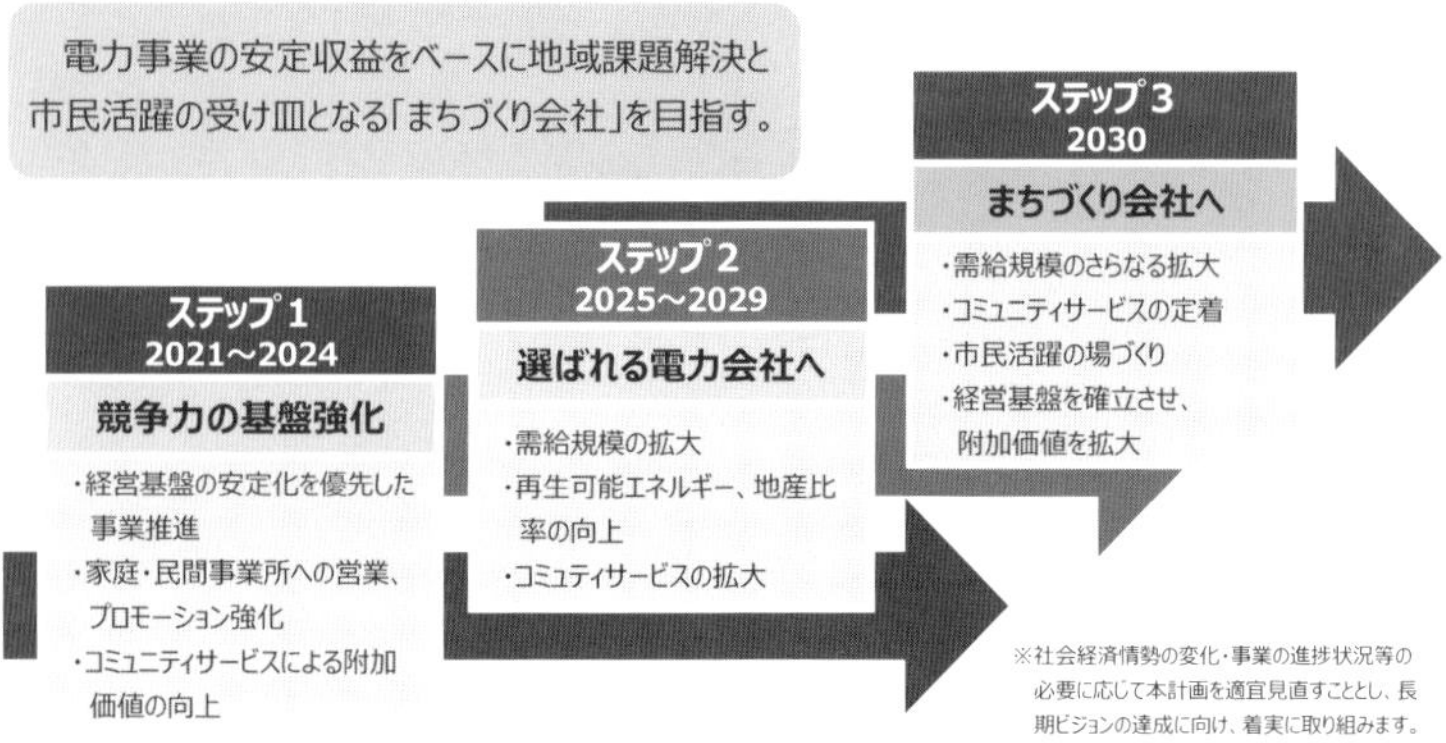
電力事業の安定収益をベースに地域課題解決と
市民活躍の受け皿となる「まちづくり会社」を目指す。
ステップ1
2021〜2024
競争力の基盤強化
・経営基盤の安定化を優先した事業推進
・家庭・民間事業所への営業、プロモーション強化
・コミュニティサービスによる附加価値の向上
ステップ2
2025〜2029
選ばれる電力会社へ
・需給規模の拡大
・再生可能エネルギー、地産比率の向上
・コミュティサービスの拡大
ステップ3
2030
まちづくり会社へ
・需給規模のさらなる拡大
・コミュニティサービスの定着
・市民活躍の場づくり
・経営基盤を確立させ、附加価値を拡大
※社会経済情勢の変化・事業の進捗状況等の必要に応じて本計画を適宜見直すこととし、長期ビジョンの達成に向け、着実に取り組みます。

図3・21　いこま市民パワーの中長期計画（提供：いこま市民パワー）

だ。また、いこま市民パワーを活用する際のコストを認識したうえで、生駒市としての政策遂行の有用性や必要性を検証すべきとした。つまり、住民監査請求を通じて、「いこま市民パワーは政策遂行コストを上回る効果を出す必要がある」と指摘されたのである。

この住民監査請求が1つのきっかけとなり、生駒市といこま市民パワーの取組は加速した。監査請求では、再エネの地産地消をうたいながら地域のFIT電気比率が3％程度（当時）にとどまり、電源の大部分を大阪ガスから調達している点などが指摘されていた。そこで、2019年度からは、隣接する大東市のバイオマス発電所からFIT電気を調達し、FIT電気比率を10％超とした。また、2021年9月からは家庭用太陽光発電の卒FITの買い取りも開始している。さらに、2020年11月に策定した中長期計画では、家庭・民間事業所への営業強化やコミュニティサービスによる付加価値の向上を掲げ、取組を加速させている（図3・21）。

営業強化

地域新電力は、出資する自治体の公共施設への供給から事業をス

タートさせ、一定の売上高を確保することで、経営を安定化させることがほとんどであるため、販売電力量に占める公共施設向けの割合は総じて高い。ただ、公共施設への供給だけでは、地域脱炭素化や地域経済循環といった政策目標の実現は限定的なものになってしまうため、民間施設や家庭への供給拡大が重要である。

そこで、いこま市民パワーは、出資企業である南都銀行との間で、需要家の紹介体制を構築し、民間施設への営業を強化している。さらに2020年からは、郵便局施設への電力供給に加え、郵便局との取次委託契約を締結。地域の中核企業である金融機関や郵便局との連携により、民間施設への供給拡大を狙う。

また、2020年9月からは住民を巻き込んだ取組をさらに広げるため、家庭向けの電力販売の申込受付を開始している。

コミュニティサービス

同社は、事業収益を株主には一切配当せず、地域の課題を解決するためのコミュニティサービスの提供という形で還元する方針を取る。2019年1月には、市内の全小学校に、児童と保護者の安心・安全に繋がる登下校見守りサービスを導入。ICタグを携帯する児童が学校の校門を通過すると、保護者宛てに通知メールが送信されるようにした。この取組は、いこま市民パワーの事業収益を活用し、新1年生を対象に1学期間無料で実施している[注3・9]。

2022年2月には、再配達に伴うCO_2の排出削減にもつながる置き配バックの購入支援サービスを開始した。また、2022年度には、地域のまちづくり活動の活性化のため「エコタウンまちづくり応援補助金」を創設し、自治会の地域課題解決に向けた事業で、脱炭素や資源循環などに寄与するものを支援する予定だ。

いこま市民パワーでは、電力を買う住民を集めてワークショップを開催し、地域課題を抽出し、地域の実情に応じた新たなコミュニティサービスを創出する計画もある。地域新電力を中核に、市民力の活用を進める考えだ。

いこま市民パワーを行政計画に明記

生駒市の取組で、もう1つ特筆すべきは、いこま市民パワーを行政計画に明確に位置づけていることだ。生駒市は、内閣府の「環境モデル都市」に選定されており、2019年3月に策定した「第2次生駒市環境モデル都市アクションプラン」では、いこま市民パワーを中心的な施策主体に位置付けている。また、同年4月の「生駒市環境基本計画」でも、市の再エネ普及に向けた取組において、いこま市民パワーの位置付けを明記した。生駒市は、温室効果ガスを2030年までに2006年比35%、2050年度までに70%削減する目標を掲げている。地域低炭素化を遂行するための主体として、いこま市民パワーを明確に位置付けているのだ。

地域新電力の行政計画への明記は、地域新電力によって何を成し遂げようとしているのかを明確にして公表し、市民に説明責任を果たすという意味がある。地域新電力が、長期的な事業の実効性を担保する意味でも重要だ。また、一般に、首長肝いりで開始した事業が、首長交代によって方向性が変わることは珍しくない。行政計画への明記は、こういった政治リスクの軽減にもつながる。

自治体の本気

現在、具体的な政策目的実現のため自治体が地域新電力を戦略的に活用できているところは多くないように感じる。自治体が実施する事業は、往々にしてプレスリリース時が最も注目され一番盛り上がる。このため、最初こそ市長や幹部の意識も高まるが、その後は尻すぼみになるケースが少なくない。

しかし、「地域新電力の政策遂行コスト」は毎年かかる。そのコストを上回る効果を継続的に出すことが必要だ。自治体は、地域新電力を設立した後も、継続的に地域新電力にコミットしていく必要がある。いこま市民パワーをめぐる住民監査請求とその後の行政訴訟という第三者からの厳しいチェックが1つのきっかけとなり、「地域新電力の政策遂行コスト」を上回る効果を出そうと取組を加速させている。地域新電力の成否のカギは、自治体の本気、そして、住民を含めた地域のチェックも重要な要素の1つになるのではないか。

3-5 地域新電力の実務と三セクとしての留意点

1 地域新電力の実務

地域新電力の実務については、なかなかイメージが持ちづらく、地域新電力の設立を検討する方々からこれまで多くの質問を受けてきた。また、私自身、初めて自身で新電力を検討した際には、いったいどんなシステムで、どのように手を動かすのかイメージを持てないでいたことを思い出す。ここでは、地域新電力の実務、特に根幹業務である需給管理の実務について紹介したい。

まずは需要を予測

地域新電力は、供給先の需要を予測した上で、そのエリアの一般送配電事業者（送電網を所有・管理している東京電力パワーグリッドや関西電力送配電など）に対し、

・「需要計画」：抱える顧客（電気の需要家）の需要量
・「調達計画」：発電事業者や卸電力市場（ＪＥＰＸ）からの調達量

・「販売計画」：他の小売電気事業者やＪＥＰＸへの販売量を、１日を48分割した30分のコマごとに提出する必要がある。ここで、「需要計画」に応じて「調達計画」や「販売計画」を決めるため、大切になってくるのが需要の予測である。需要予測する際、予測する日の気温や曜日（施設の営業・休業）を踏まえることになるが、これまでの実績などをもとに予測する。需給管理システムを導入して実績からの算出を自動化するのが一般的となっている。

「需要予測」をしたら「調達計画」をつくる。契約している相対電源などを踏まえ、足りなければ卸電力市場などから調達する。

なお、ＦＩＴ電源（変動電源）については特例が定められており、一般送配電事業者が予測する発電量を使用することが可能となっている（一般送配電事業者が発電量を予測しインバランスリスクもとるＦＩＴ特例１と、自分で予測しインバランスリスクも自分でとるＦＩＴ特例２が選択可能）。

需要予測が外れるとどうなるか（インバランスの仕組み）

こうして提出した計画値と実績値との差は「インバランス」と呼ばれ、一般送配電事業者に対し、計画に比して実績が不足していればインバランス料金を支払い、計画に比して実績が余剰であればインバランス料金を受け取ることで清算することになる。計画値と実績値の過不足は一般送配電事業者が調整する。インバランス料金の計算式は２０１５年度以降断続的に見直されており、２０２２年度からはまた新たな計算式が導入された。電力の需給ひっ迫が起きている際に、計画値が実績に対して足りない不足インバランスが系統全体で大きくなると停電の可能性がでるため、2022年度からのインバランス料金は、需給ひっ迫の度合いに応じてインバランス料金が変化する仕組みになっている（需給がひっ迫している時は、高額なインバランス料金になる計算式となっている）。

地域新電力でも需給管理は自社でできる

電力の需給と調達を一致させる業務である需要管理については、「専門性が高いので大企業への委託が必要」という話も聞くが、これは誤解である。確かに一定の専門性は必要だが、未経験者でも数週間のトレーニングで一般的なオペレーションは回せるようになる。また、24時間ずっとパソコンに張り付いていなければいけないかというと、そのようなことはない。

需給管理は、新電力事業の基幹業務であり、場合によっては利益の源泉ともなるものだ。また、顧客情報、経営戦略の根幹でもある。需給管理を内製化することによって独自メニューが需要家に提供しやすくなったり、そのノウハウやデータを活かして省エネ提案やVPP事業を行うなど事業展開の幅も広がる。他社に委託するか、自社において内製化するかは、十分な検討が必要である。設立後すぐに内製化で行うことが難しい場合も、当面は委託し、ノウハウを習得したあと内製化していくという方法もある。

需給管理システムのコストや人件費と、他社に委託する委託費を比較するとともに、雇用創出などの自社目標、今後の将来構想などを踏まえ検討することが重要である。

2 第三セクターのトラウマ

地域新電力について自治体職員と意見交換する際によく耳にするのが、第三セクター[注3・10]（以下、三セク）のトラウマである。我が国では、バブル真っ盛りの1980代後半〜1990年代初頭にかけて、自治体の出資する三セクが次々と設立された（1992年の444法人がピーク）。これは、当時成立した民活法（1986年）及びリゾート法（1987年）が、三セクが行うテーマパーク・リゾート事業に対し、補助金や税減免などの優遇措置を与えたことが大きな誘因とされている。

しかし、周知のとおりバブル崩壊とともに三セクの破たんが相次ぐ事態となった。しかも悪いことに、自治体が三セクに対し債務保証や貸付をしていたり、延命のために資金投入を繰り返したことにより、自治体は出資金以上の多額の損害を被った。当時の社会問題となり、自治体の特に50歳代以上の幹部職員に「三セク＝赤字・破たん」のイメージが強く残っている。自治体が出資する地域新電力もいわゆる「三セク」であるため、それだけで検討が止まってしまうという話もよく聞く。

確かに、現在の「民間でできることは民間で」といった流れもあり、その地域で民間のみで実施でき、目的が十分達成されるのであれば自治体が関与する必要はない。しかしながら、地域の状況やリスクを適切に踏まえず、「三セク」だからダメというのは少し乱暴な議論だと思うので、以下に事実関係を整理したい。

第三セクター（三セク）の今

総務省の調査[※3・8]によると、第三セクターは2016年3月末時点で全国に6615あり、分野別でみると、観光振興公社や観光バス会社などの「観光・レジャー」、農地保有合理化会社や漁業公社などの「農林水産」、そして文化財センターや私学振興協会などの「教育・文化」が多い状況となっている。また、気になる倒産件数は、2008年度調査分から毎年平均で約13件が法的整理（破産、民事再生など）されている（この他、統廃合など（廃止、統合及び出資引上）の減少がある）。一方、以前よりも大幅に減少しているものの、意外なことに2008年以降も毎年約40程度の三セクが新たに設立されている。

総務省においてもこの三セク問題はこれまでも研究会などで多くの議論がなされているが、これらの議論を踏まえて総務省から出された自治体への第三セクターに関する通知[※3・9]では、第三セクターの効率化・経営健全化の必要性を強調しつつも、「第三セクター等は、（略）経営が好調な場合には投下した資金を上回る経済効果をあげることが可能であり、（略）地方公共団体は、適切な経営が行われることを前提として、第三セクター等を活用した経済再生・地域再生等について検討することも重要です。」とされており、三セクの意義を認めている。

このように、現在も一定の三セクのニーズと設立があり、国の見解も三セクに意義を認めている。三セクだから一概にダメということではないのである。

過去の三セクの失敗要因

しかしながら、総務省の調査[※3・10]では三セクの約4割が赤字（図3・22）となっており、三セクの経営問題が解決されているとは言えない。また、当然のことながら過去の三セクの失敗から得られた教訓を地域新電力で活かすことは極めて重要だ。

１９９０年代の三セク経営悪化の要因に関する先行研究[※3・11、3・12]においては、三セクの制度的要因（推察）として以下が挙げられている。

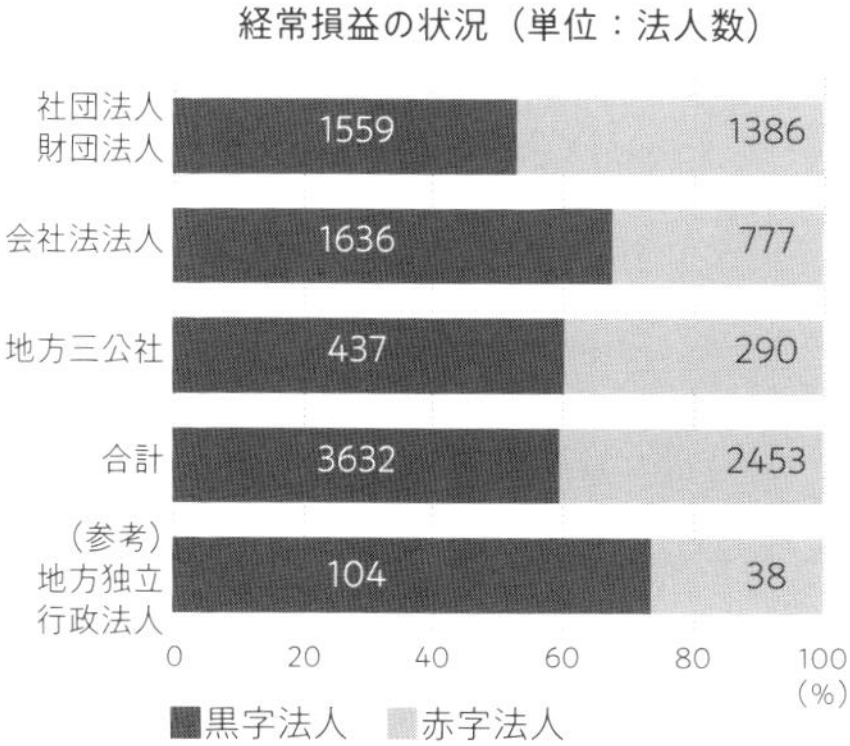

図3・22　三セクの約４割は赤字（出典：総務省資料）

●三セクの経営悪化の制度的要因

(1)官民間のリスク分担に関わる契約が十分に締結されていなかった。また、そのような曖昧な状況が許されたために、曖昧な責任から馴れ合いが生じ、経営が悪化した。

(2)情報公開の不備による説明責任の欠如により、経営が悪化した。

(3)官が出資する第三セクターの設立や事業継続決定には、政治的圧力が反映されやすく、非効率な設立及び運営がなされ、経営が悪化した（建設業の政治力が強い地域では、その地域の業界を保護する目的から、大規模な開発がされやすいなど）。

また上記要因に対応するため、「官と民の責任分担の明確化」「情報公開による説明責任の確保」「政治圧力からの脱却」などが挙げられている。

三セクの失敗を教訓に

この中でも、「官と民の責任分担の明確化」は特に重要と考えられる。あらかじめ、リスクの所在、役割分担などを官民で明確化した上で設立することが不可欠である。また、総務省の指針[※3・13]では、過去の三セクの失敗で問題となった自治体の三セクへの損失補償について「行うべきではない」とし、短期貸付けも「避けるべき」と明記されている。現在、自治体が地域新電力に損失補償を行うことはほぼないが、「自治体が最後は何とかしてくれる」と他の出資者に誤解されないように、出資者間の責任を明確に示しておくことも必要だ。

また、再建の見込みが薄いのに延命だけのために税金が投入され続けた過去の三セク失敗の経験を踏まえ、地域新電力の中には、こういった事態になった場合には事業から撤退するといった「撤退条件」をあらかじめ決めている社もある。「撤退条件」の事前の明確化は地域新電力のガバナンスの適正化にとっても意味がある。

地域新電力事業は、バブル期に三セクが相次いで乗り出したリゾート開発などとは違い、設備をあまり持たずに始めることができる。また、自治体が財政措置は出資のみで貸付や損失補償をしないことを明確にすれば、万一の場合も自治体の損失は出資金額が上限だ（額が少ないから損失しても仕方ないというわけではなく、費用（リスク）対効果が高いのではないかという意味である）。リゾート開発などで何百億円もの負債を抱えて倒産し、自治体が何億、何十億もの損失を負った過去のトラウマに過剰に支配されることなく、過去の失敗を教訓として、官民の役割分担の明確化のもとでリスクを適切に見積もり、冷静な検討がなされることが重要である。

3-6 試練にどう取り組むか

1 歴史的な卸電力市場の高騰

２０２０年12月下旬から1月中旬にかけて卸電力市場（ＪＥＰＸ）において記録的な高騰が発生した（図3・23）。過去に高騰は何度かあったが、この期間の高騰は短時間の「スパイク」でなく「高値張り付き」という事態となった。連日の高値が記録され、1日（30分コマで24時間のため1日計48コマ）平均で１００円／kWhを超える日も続いた。２０１５年度から２０１９年度までの5年間の市場価格平均（システムプライス）が9円程度であるため、この高騰の程度が分かる。

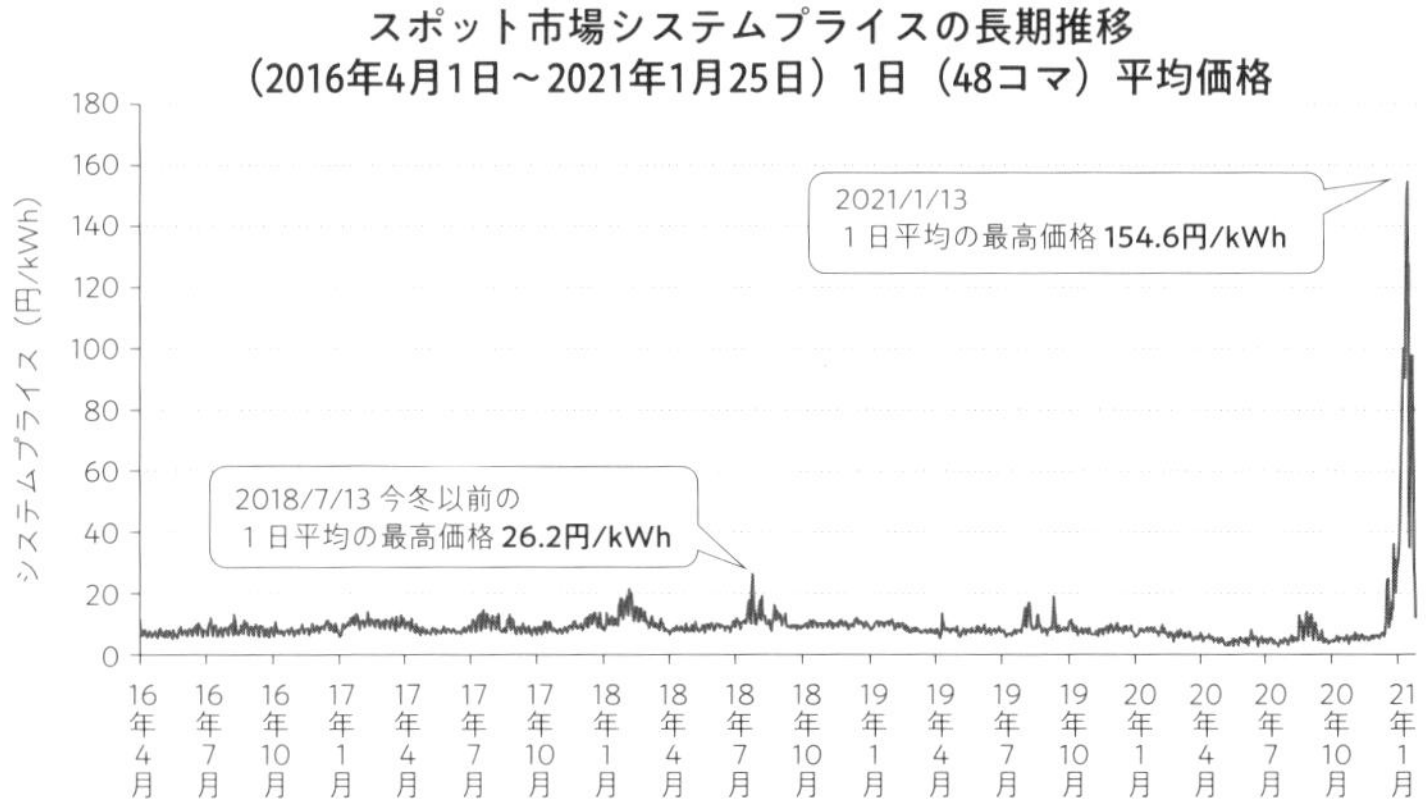

図3・23　卸電力市場の高騰

（出典：経済産業省電力ガス取引監視等委員会、制度設計専門会合（第54回）資料）

高騰の原因

この高騰に関する資源エネルギー庁の中間とりまとめ（2020年6月）によると、需給ひっ迫の原因は、断続的な寒波による電力需要の大幅な増加とLNG供給設備トラブルなどに起因したLNG在庫減少（それに伴うLNG火力の稼働抑制）が主因とされた。これまでの供給力（kW）の急減を発端としたものとは異なり、電力量（kWh）がひっ迫した近年にない事態だった。また、需給ひっ迫に伴い、電力市場において、売り切れ状態が継続的に発生し、スパイラル的に買い入札価格が上昇したことが市場価格高騰の要因とされている。

なお、需給ひっ迫の背景には、石油火力の休廃止や稼働中原発の減少といった日本全体での供給力低下や、LNG火力に依存した供給構造が存在していたことが指摘されている。[注3・11]

事業休止、法的整理手続きを行う新電力が次々と

この市場高騰は、地域新電力を含めた新電力業界全体に大きな影響を及ぼした。地域新電力では、かづのパワー（秋田県鹿角市などが出資）や塩尻市森林公社（長野県塩尻市が出資）が相次いで事業休止を発表。地域新電力以外でも新電力大手のF-Powerが同年3月24日に会社更生法を申請、また、小売電気事業に加え、太陽光発電システムの製造事業を実施していたアンフィニも、太陽光発電システム価格の下落にＪＥＰＸ市場高騰が加わり同年９月30日に民事再生を申請している。

なお、この市場高騰前の２０２０年２月から3月にかけて40地域新電力を対象に行った調査では、①アンケート回収できなかったもの、②決算前であるもの、③直近決算時に電力供給開始前であったもの、④決算自体を非公開と回答したものを除く26社すべてで直近の決算で純利益が出ていた。この市場高騰で地域新電力の経営状況は一変したことが分かる。

2 その時、地域新電力は？

２０２１年1月の卸電力市場暴騰は、地域新電力にも大きな影響を及ぼしたが、その最中、地域新電力はどのような対策をとっていたか、事例を２つ紹介したい。

１つ目の事例は、地域新電力ならではの「デマンドレスポンス」を行っていた㈱能勢豊能まちづくりであ

る。同社は、大阪府能勢町と豊能町の２自治体が出資して設立され、２０２０年10月に電気供給を開始した比較的新しい地域新電力だ。東京大学・大阪大学などと連携し、能勢町の交通課題解決に向け、e-bikeの導入に際する通学上の安全面や環境効果などを検証する共同研究なども行う。

同社は２０２１年1月の市場暴騰時、すぐさま需要家施設へエネルギー管理士を派遣し、省エネ診断を実施（図３・24）。専門家による省エネ診断の結果をもとに需要家に対し効果的な省エネのお願いをして回った。需要家側も早急に要請に応じ、施設によっては約４割[注3・12]の消費電力が削減されたという。

この取組はＩｏＴもＡＩも使っていないアナログなデマンドレスポンスだが、大きい効果が出た。ここまで効果が大きくなったのは、需要家と密接な関係のある地域新電力だったからと言える。

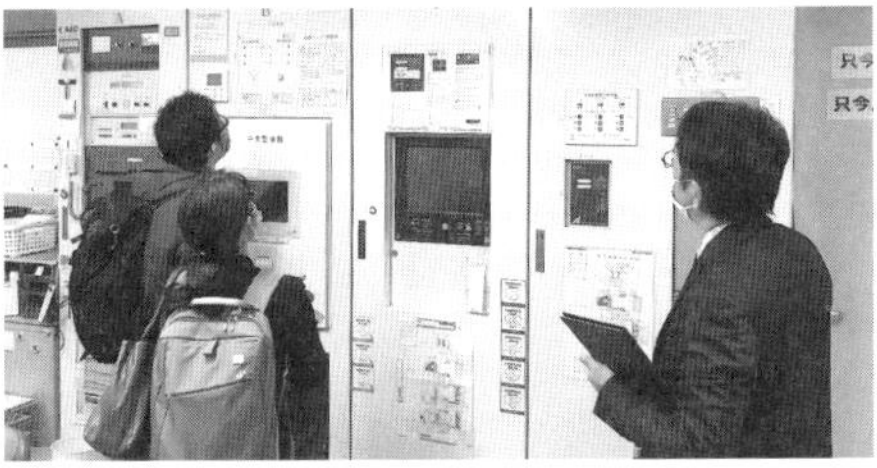
図3・24　能勢・豊能まちづくりによる省エネ診断の様子

２つ目の事例は、緊急省エネキャンペーンを行った一般社団法人東松島みらいとし機構である。同機構は、被災地である宮城県東松島市において、小売電気事業のみならず特定送配電事業、ふるさと納税事業、公営住宅管理と幅広く地域サービスを担う。同機構は、１月の市場暴騰時、昨年度より電力量を削減した分だけ20円／kWh還元される緊急省エネキャンペーンを実施。急遽作成した手作りのチラシを需要家に配布し、節電を呼びかけた。20円／kWhの還元はもちろん赤字だが、卸電力市場が２００円／kWh台を連発していた当時の調達単価と比べれば、ダメージは大きく軽減できる。取組の結果、約４％の電力量削減につなげることができている。大手の新電力だとこの混乱期の短期間で、このような思い切った策がなかなか打てないが、身動きが軽い地域新電力ならではの取組と言える。

今後も試練は続く見込み

２０２１年１月の卸電力市場暴騰以降、資源エネルギー庁からは、同様の高騰を予防するため、ＬＮＧ燃料の確保状況のモニタリング実施、燃料確保の在り方を示す「燃料ガイドライン」策定、市場の信頼性を高めるための情報開示拡充、スポット市場への適切な売り入札を促すための監視強化、市場のセーフティネットの導入（インバランス上限価格を80円／kWh、２００円／kWhの２段階で設定）、小売事業者などによる適切な市場リスク評価・管理の在り方を示す「リスクマネジメントガイドライン」の策定など様々な対応策が打ち出された。

その後、一旦落ち着いたＪＥＰＸであったが、同年10月からはＬＮＧなどの世界的な燃料価格高騰や、高値のインバランス料金を警戒した新電力による高値入札増加などを受け、ＪＥＰＸは再び高騰。12月末現在も高値が続いている。新電力においては、特別高圧・高圧からの撤退、料金の値上げ交渉など、様々な経営戦略の見直しが行われている。

２０２２年度も供給力不足から需給ひっ迫が予想されており、地域新電力の事業環境は依然厳しい見通しとなっている。

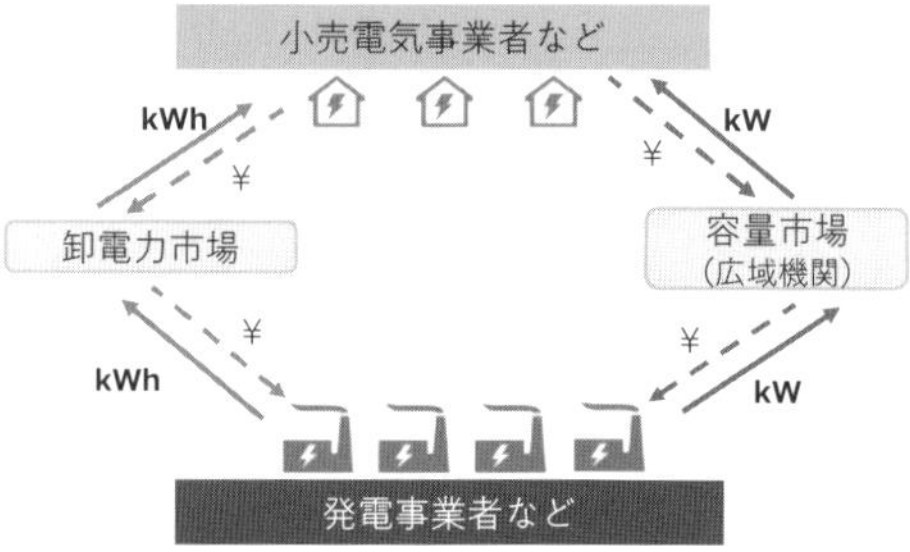

市場	役割	主な取引主体
容量市場	国全体で必要となる供給力（kW 価値）の取引	広域機関
卸電力市場	需要家に供給するための電力量（kWh 価値）の取引	小売電気事業者
需給調整市場	ゲートクローズ後の需給ギャップ補填、30 分未満の需給変動への対応、周波数維持のための調整力（△kW 価値＋ kWh 価値）の取引	一般送配電事業者

図3・25　容量市場など各市場の役割

3　地域新電力の悩みの種、容量拠出金

新電力の悩みの種は市場高騰だけではない。２０２０年９月14日に明らかとなった容量市場の約定価格（２０２４年度実需給）に、全国の新電力は驚愕した。新電力の負担する容量拠出金の計算の基となる約定価格が政府が定めた上限価格とほぼ同額の１万４１３７円／kWであったためだ。容量市場は、電力量（kWh）ではなく、将来の供給力（kW）を取引する市場で、将来にわたる我が国全体の供給力を確保する仕組みとして、発電所などの供給力の金銭価値化を目的に創設された（図３・25）。

容量市場は実需給期間の４年前に入札が行われるため、２０２０年に実施された今回の入札は、２０２４年度向けのものである。地域新電力を含む新電力各社は２０２４年に容量拠出金を電力広域的運営推進機関に支払うことになる。その額は、各地域新電力が抱える顧客

（電力需要家）の電力消費パターンにより異なってくるが、今回の約定結果により、多くの新電力が粗利を上回る容量負担金の拠出が必要な状況に陥った。

容量市場の負担は、新電力ごとの特定時間帯における供給電力kW実績で案分するため、公共施設など負荷率[注3・13]の低い需要家を多く抱える地域新電力の負担割合は高くなりがちとなる。

2020年度の入札結果を受け、新電力共同による政府への制度見直し要求が行われるとともに、国の審議会でも本結果や制度詳細の見直しの必要を指摘する意見が相次ぎ、制度改正が行われた。その結果、2021年度に行われた2025年度向けオークションの約定価格は、前年の1/3未満となっている。

とはいえ、2024年度に発生する負担は変わらず、かつ2026年度向け以降の約定価格も不透明である。今後、地域新電力は容量拠出金を可能な限り抑えるための対策が必要になる。容量市場拠出金は、夏季と冬季におけるエリアの最大電力需要発生時における各小売電気事業の供給電力量（kW）などをもとに計算されるため、その時間帯の供給電力量のピークを下げる必要がある。ピーク時間のずれた需要家の獲得、料金プランの見直し、蓄電池やデマンドレスポンスの活用などが必要となってくる。

4　他の地域新電力は、競争相手ではなく協力相手

2020年度の地域新電力各社は容量拠出金、卸電力市場高騰に大きく揺れた。この時まで地域新電力側に容量拠出金や卸電力市場高騰への備えがほとんどなかったことは大きな反省点だ。卸電力市場への一定の

リスクヘッジは必要であったし、容量市場に係る制度は以前より国の審議会で公開議論され、今から考えると特に地域新電力には頭の痛い制度のはずであったが、注目している地域新電力はあまりいなかった。

この他にも、電力システム改革は継続中で、非化石価値取引市場など地域新電力に大きな影響を及ぼす制度改正は多い。これらの制度情報を早期に入手し、経営に活かしていくことの重要性は増している。

電力システム改革の進展や競争環境の激化に伴い、地域新電力を取り巻くリスク環境も大きく変化している。地域新電力のマンパワーの制約も踏まえると、地域新電力間の連携・協調が必要だ。地域を限定して事業展開する地域新電力は、互いに競合しないため協業できる存在である。

現在、経産省に登録された小売電気事業者は700社を大きく上回る。競争が激しくなる中、地域新電力が生き残っていくためには、地域新電力間で連携し、各種制度情報やそれを踏まえた戦略の共有を行い、自社に適した事業に落とし込んで競争力を確保していく必要がある。既に同じエリアの地域新電力同士や、理念・特徴の似ている地域新電力同士が集まる勉強会は存在しているが、こういったネットワーク構築は、電力市場の荒波を乗り越えていくための1つの重要な策と言える。

5 地域新電力の特徴・特有リスク・対応策

地域新電力の特徴と対策

地域新電力の特徴として、エネルギーの地産地消を目指し、地域のFIT電源の調達を重視することが挙げられる。FIT電源の調達単価はJEPXの市場価格となってしまうため、高騰を受け、予定していたFIT電気調達を取りやめる、FIT電気比率の引き下げを検討するといった地域新電力の声も多方面から聞こえる。一方で、相対電源の積み増しなどでリスクマネジメントしようとすると、地域新電力の訴求ポイントである地域のFIT電源の比率が下がってしまう。地域新電力各社は最適な電源構成を模索する。

FIT電気調達におけるリスクヘッジ手段としては、電力先物市場が大きな役割を果たす。電力先物市場のうちTOCOMは100kWからの調達が可能であるため、調達量の大きくない地域新電力にとっては使いやすい。市場高騰後、先物市場の活用を開始した地域新電力は少なくない。商品先物取引業者などを通した取引が可能なため、「入金管理などに気を付けなければいけないが、思ったほど難しくない」といった声も聞かれる。一方で、先物市場において売り玉が少なく、なかなか地域新電力が買えないという課題もある。

次に、地域新電力の特徴として、電力供給量が小さく電源の相対契約が結びづらい点も挙げられる。これには、ブローカーの活用、ベースロード市場の活用などの対応があるが、前述の地域新電力連携の観点も重要である。例えば、電源の共同調達や電力融通、そして非FIT電源の共同での開発など、単体では難しいことも連携すれば可能なことも多い。

地域新電力の特有リスクと最大のリスクマネジメント

採算性リスクのみならず、地域新電力の特有のリスクも存在する。①住民監査請求リスク、②議会リスク、③首長交代リスクである。①は、地域新電力は公共施設と随意契約して経営を安定させることが一般的となっているが、この随意契約を不当とされるリスクである（3-4-7 いこま市民パワー参照）。

②の議会リスクは、地域新電力が順調な時はいいが、今般の市場高騰により経営環境が変化した場合、特に赤字になった場合に議会から追及がありその説明に追われるリスクである（3-4-4 みやまスマートエネルギー参照）。説明責任を負うのは当然であるが、一般企業と比して赤字への許容度が極めて低いことが特徴だ。

③の首長交代リスクについては、自治体施策一般に言えることだが、首長肝いりで開始された事業は、首長交代があると後任首長が見直しに着手することが少なくない。地域新電力は首長のトップダウンで開始されることも多いため、政治的な動向にさらされる可能性をはらむ。

これら地域新電力特有のリスクに対する最大のリスクヘッジ、それは「その地域で価値を出すこと」である。これができれば、価格勝負になることなく、経営も安定できる。また、住民監査請求、議会での追及、首長交代があっても説明責任を果たせる。

では、地域新電力の価値とは何か。公共施設の電気代を下げるためという理由で地域新電力を設立する自治体もいるが、単に電気代を下げるのであれば入札をした方が安くなる。「地産地消」が目的にされることも多いが、地域のＦＩＴ電気を公共施設で使いたければ、それを条件に入札をかければ、多くの新電力が手を挙げるだろう。地域新電力を創るよりはるかにコスパがいい。自営線を敷設しなければレジリエンス向上にもつながらない。

地域新電力の価値、それは、やはり地域経済循環や地域脱炭素化を進める「地域の担い手」となることである（3-3で詳述）。事業環境が厳しくなっているが、地域の担い手として、その地域になくてはならない存在となった地域新電力は、この難局を必ず乗り越えることができると信じたい。

注釈

注3・1　対象とした地域新電力は、①自治体からの出資を受けている法人（間接出資を含む）、②自治体と協定を締結している法人（協定に基づき運営されている法人含む）、③自治体が社員として構成されている一般社団法人であって、2021年7月までに小売電気事業者の登録をしている全74社とした。

注3・2　地域新電力に出資などで関与する自治体の属する都道府県に本社を有する企業を「地域企業」とした。

注3・3　バランシンググループ：複数の小売電気事業者がグループを組成した上で代表者を設け、代表者が一括で需給管理・一般送配電事業者との契約・インバランス料金清算を行う。代表以外の小売電気事業者の業務量低減や、グループの需要を合わせることによる平準化効果でインバランス料金の低減が期待できる。

注3・4　ＦＩＴ電気は、再エネ電源を用いて発電され、固定価格買取制度（ＦＩＴ）によって一般送配電事業者を経由して買い取られた電気。買取に要した費用は、電気料金に上乗せされ需要家が負担していることから、ＦＩＴ電気の排出係数（調整後）は、火力発電なども含めた全国平均値となる。純粋な再エネ電気とは区別される。

注3・5　発電事業者が需要施設の屋根などを借りて発電設備を設置し、その施設で使用された分の電気料金を受領する方式。需要施設側は、初期投資ゼロで太陽光発電の電気を使うことができる。

注3・6　その後、米子市は当該10％のうち1％分を境港市に有償譲渡している。

注3・7　分散設置されたエネルギーリソース（発電設備、蓄電設備、需要設備）を、ＩＣＴを活用して束ねることで、あたかも１つの発電所のように制御すること。

注3・8　環境省「令和元年度地域低炭素推進事業体設置モデル事業」において㈱三河の山里コミュニティパワーが試算。

注3・9　２０２０年は新型コロナ感染拡大のため４月に登校がなかったため無償期間が３か月延長された。

注3・10　第三セクター（三セク）：地方公共団体が出資を行っている一般社団法人、一般財団法人、株式会社など。

注3・11　ＬＮＧはマイナス１６２度で保管する必要があり、長期保存に向かない。そのため、国内に２週間分程度の貯蔵能力しかなく、急激な需要増や供給減少に弱い構造となっている。また、現在の国全体の電源構成の約４割弱をＬＮＧ火力が担っており、ＬＮＧが卸電力市場に与える影響が大きい構造となっている。

注3・12　エネルギー管理士派遣前後数日間の単純な電力消費量の比較であり、気温などの効果は考慮していない。

注3・13　負荷率（％）：年間の消費電力量／（契約電力×24時間×３６５日）×１００で表され、契約電力（kW）に対して、年間どれくらい電力量（kWh）を使用したかを示す。

参考文献

※3・1　稲垣憲治・小川祐貴・諸富徹「自治体新電力の現状と発展に向けた検討―74自治体新電力調査を踏まえて」京都大学大学院経済学研究科再生可能エネルギー経済学講座ディスカッションペーパーNo.37、２０２１年

※3・2　稲垣憲治・小川祐貴「自治体新電力の現状と課題―アンケート調査及び地域付加価値創造分析を通して」『国際公共経済研究』第31号、15～23頁、２０２０年

※3・3　山下英俊、藤井康平、山下紀明「地域における再生可能エネルギー利用の実態と課題：第２回全国市区町村アンケー

トおよび都道府県アンケートの結果から」『一橋経済学』11⑵、49～95頁、2018年
※3・4　総務省「平成30年度第三セクター等の出資・経営等の状況に関する調査」2020年1月公表
※3・5　資源エネルギー庁「電力・ガス産業の将来像―システム改革後の電力・ガス産業在り方」平成28年10月28日
※3・6　Stadtwerke Etlingen Gmbh のウェブサイト https://www.buhlsche・muehle.de/fileadmin/pdf/SWE-Standortbericht.pdf
※3・7　諸富徹「自治体エネルギー公益事業体の創設とその意義」『都市とガバナンス』Vol.26　59～70頁、2016年
※3・8　総務省「第三セクター等の出資・経営等の状況」2017年1月25日
※3・9　総務省「第三セクター等の経営健全化の推進等について」2014年8月5日
※3・10　総務省「第三セクター等の状況に関する調査」2021年3月31日時点
※3・11　赤井伸郎「第三セクターの経営悪化の要因分析―商法観光分野の個票財務データによる実証分析」内閣府経済社会総合研究所、ESRI Discussion Paper Series No.32、2003年
※3・12　赤井伸郎・篠原哲「第三セクターの設立・破綻要因分析―新しい公共投資手法PFIの設立に向けて」日経研究論文、2003年
※3・13　総務省「第三セクター等の経営健全化等に関する指針の策定について」2014年8月5日

その他の参考文献

・北風亮「地域資源を活かした自治体電力事業の現状と可能性―北海道寿都町と福岡県みやま市の事例を中心とする実証研究」法政大学審査学位論文、2019年

謝辞

本稿作成にあたっては、次の方々に情報提供・資料提供をいただきました。厚く御礼申し上げます。なお、本稿の文責は筆者にあります。

中之条パワー山本政雄様、ローカルエナジー上保裕典様、三河の山里コミュニティパワー早川富博様・萩原喜之様・関原康成様・村田元夫様・庄司知教様、みやまスマートエネルギー渡邉満昭様、たんたんエナジー木原浩貴様・根岸哲生様、京都府福知山市エネルギー・環境戦略課　谷口智広様・足立訓章様、たじみ電力（エネファント）磯崎顕三様、奈良県生駒市木口昌幸様、能勢・豊能まちづくり榎原友樹様・北橋みどり様、東松島みらいとし機構沢尻由央様

第4章

地域で稼ぐエネルギー事業に向けて

これまで自治体のエネルギー施策や地域新電力などについて様々な事例を紹介してきた。では、これら地域エネルギー事業によって、どれくらい「地域の稼ぎ」が生まれるのであろうか、そして、その「地域の稼ぎ」は事業の運営方法によってどれくらい変化するのであろうか。

本章では、まず地域の稼ぎを測る地域付加価値創造分析について紹介し、次に鹿児島県日置市の地域新電力ひおき地域エネルギーを事例に「地域の稼ぎ」を見える化（数値化）する。そして、地域エネルギー事業での「地域の稼ぎ」の高め方について考えてみたい。

4-1 地域の稼ぎを測る「地域付加価値創造分析」

まちづくり事業の地域経済効果については、これまで主に産業連関分析を用いた事例分析がされてきた。しかし、産業連関表を用いた地域経済効果の分析については、いくつかの課題が指摘されている。基礎自治体を対象とした場合に都道府県レベルのものを按分する過程で精度が落ちること、産業連関表の作成に多くの時間とコストが必要となること、元となる都道府県レベルの産業連関表は5年に1度程度と更新頻度が低いため最新の地域の状況を反映できないことなどである。[※4-1]

そこで、本書での「地域の稼ぎ」分析にあたっては、地域付加価値創造分析を用いる。地域付加価値創造分析は、主にドイツにおいて再エネの開発が地域にどの程度の経済効果を生むかを評価する手法として活用されている。ドイツのエコロジー経済研究所などが、企業の経済活動を機能別に分解し、どの部分で付加価値が発生するかを明らかにするバリュー・チェーンアプローチに基づいて再エネ事業の地域付加価値創造分析を行っている。[※4-2] 付加価値は、生産によって「新たに創出された購買能力」と定義されており、それは売上から中間投入を除いた額、つまり雇用者の可処分所得、事業者の税引後利潤、地方税収から構成され、これら3つは合計して「地域付加価値創造額」と定義される。

ドイツでは、分析結果が地域の気候変動対策やエネルギー計画の立案に活用され、これらが環境面だけでなく経済面でも地域に利益をもたらすことが明示されるため、住民の積極的な支持につながっている。[※4-3] 自治体政策の合意形成ツールとしても有効であると言える。

地域付加価値創造分析は、ヒアリングなどにより事業収支における支出先・支出額などの詳細を把握することができれば、基礎自治体規模の産業連関表作成を必要とせず、個別事業の地域付加価値額をより正確かつ低コストに導出することが可能である。そのため、日本においても、ドイツの先行研究を踏まえ再エネ事業などを対象とした地域付加価値創造分析が行われるようになってきている。

では、実際に地域新電力がどの程度「地域の稼ぎ」を創出しているかを、ひおき地域エネルギーの事例を通じて分析する。

4-2 地域新電力による「地域の稼ぎ」の高め方

1 ひおき地域エネルギーの事業内容

ひおき地域エネルギーは、鹿児島県日置市や地域ガス会社である太陽ガス株式会社をはじめ地域企業・個人が出資する地域新電力で、2016年7月より電力供給を開始している。

事業開始当初は需給管理・請求書作成など新電力業務の多くを地域外企業に委託していたが、請求書作成業務を2018年10月から内製化するとともに、需給管理委託を太陽ガスに変更し地域化した。

また、2018年11月からは、事業を拡大し、電気を自前の自営線を用いて供給する特定送配電事業を開始。特定送配電事業は、自営線の敷設や電柱設置の工事を必要とするが、当該工事のうち可能な一部を地元企業に発注している。

さらに2018年6月から小水力発電（44・5㎾）の運転を開始。小水力発電機器のメンテナンスについても内製化によりランニングコストを削減するとともに、取水口の除塵作業をIターンで移住してきた日置市の若者に委託している。

業務の内製化や関連事業の拡大を進めた結果、2020年2月時点でこれらの業務を担う3名の地域在住職員を雇用。小売電気事業の利益の一部と水力発電の売り上げの3%を積み立て（2019年8月時点の累計額は約230万円）、日置市の未来につながる取組への寄付を予定している。

2 ノウハウを蓄積し、業務を内製化・地域化する

地域付加価値創造分析にあたっては、2016～2018年度にかけての小売電気事業（地域新電力事業）の損益計算書などの数値を入手するとともに、ヒアリングなどにより支出項目ごとに支出先の地域内割合を整理した。なお、ひおき地域エネルギーの小売電気事業における売上は、2016年度1・4億円、2017年度2・6億円、2018年度2・5億円である。

これらを通じ、事業実施により生じる事業主体の純利益のうち地域帰属分、事業実施主体の地域在住従業員可処分所得、事業実施主体による地方税、地域新電力の支払の支出先である地域企業による当該支払いに伴う純利益増・従業員可処分所得増・地方税増を推計した。

地域付加価値額（地域の稼ぎ）は、2016年度1100万円、2017年度1700万円、2018年度2700万円であった。また、地域付加価値（地域の稼ぎ）の内訳を図4・1に示す。

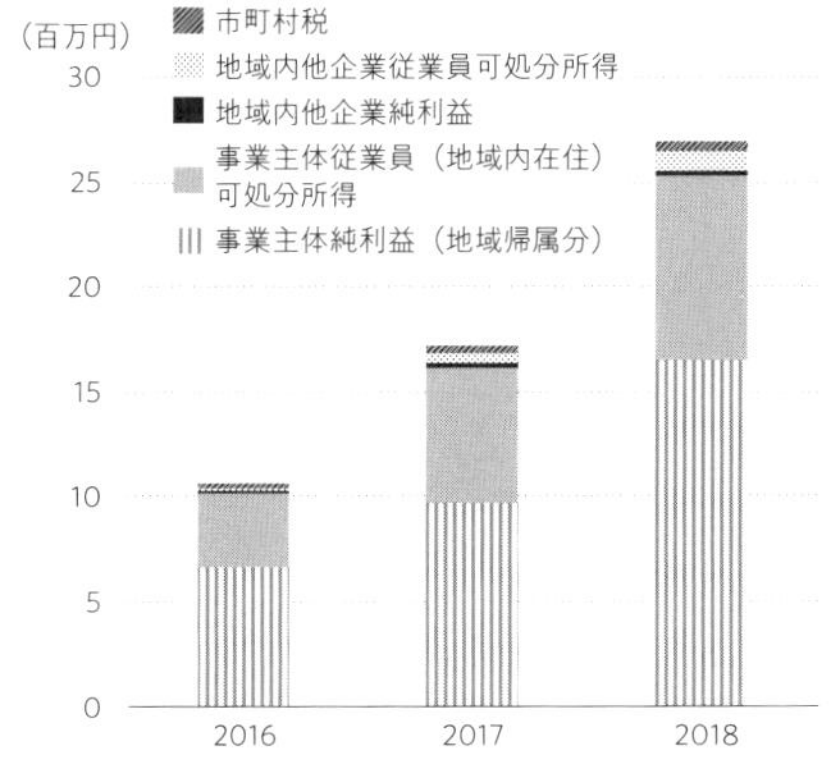

図4・1　ひおき地域エネルギーの小売電気事業における地域付加価値の推移

２０１６年８月より電力供給開始であるため、２０１６年度は売上・地域付加価値が低くなっている。２０１７年度から通年で電気販売がなされ、これまでパートタイムであった従業員が正社員となったことなどから純利益及び地域内従業員の可処分所得が増加し、地域付加価値が増加している。２０１８年度は２０１７年度と売上はほぼ同じであるのに、地域付加価値が約１・６倍に増加している。これは、２０１８年に料金請求業務を内製化するとともに、需給管理委託業務を太陽ガスに変更し地域化したことから、①業務内製化に伴う地域内従業員可処分所得増、②委託費削減による純利益増、③委託先地域企業（太陽ガス）の純利益増及び従業員可処分所得増を引き起こしたことなどが要因である。

ひおき地域エネルギーが業務内製化・地域化していくにつれ、地域付加価値が向上していくことが分かる。これはノウハウを地域で蓄積し、業務を内製化・地域化することで、地域の稼ぎが増えることを示している。また、ひおき地域エネルギーの電力販売先のうち６割以上を民間施設が占める（２０１８年度実績）。地域新電力の供給電力に占める民間施設割合は平均概ね３割程度であり、同社は他の地域新電力と比較して、民間施設への供給拡大がされており、それが地域付加価値を引き上げている。

3 地域新電力が「地域の稼ぎ」を高めるには

地域新電力における地域経済付加価値は、その事業形態によって大きな差が生じる結果となった。このことから、単に地域新電力を設立すれば地域経済付加価値が増すわけではなく、事業形態をどうするかが重要であることが分かる。具体的には、「地域による出資」と「業務の内製化による地域在住従業員の雇用」が地域の稼ぎのためには重要ということができる。

なお、エネルギー業界でよく耳にする「エネルギーの地産地消」というフレーズが、地域新電力の目的に掲げられることも多々あるが、上記結果からも「エネルギーの地産地消」=「地域の稼ぎ」とはならないと言える。いくら地元の再エネ電源を用いて地域に供給しても、地域新電力の資本や従業員が地域外であれば、事業者利益や従業員の給与の形で、資金が地域外に出てしまうためだ。

電気事業は、立ち上げ期だけでなく、電気の需給管理、顧客管理、一般送配電事業者への計画提出、官公庁への報告など、運営期にも一定のノウハウが必要な業務がある。これらを専門的だからといって地域外事業者に委託し続けてしまうと、多くの場合、地域の稼ぎを少なくしてしまうし、ノウハウが地域に蓄積せず主体的な事業展開も難しくなる。

現在設立されている地域新電力の中には、地域外の民間事業者に設立から事業運営まで地域外の事業者にすべて任せて委託しているところも少なくない。地域新電力同士でのノウハウ共有や、ノウハウ提供を行う支援団体を活用するなど、地域内での業務を拡大する方向で検討することが重要だ。

4 地域外企業任せにしないことが重要

地域新電力が設立検討に至るには、大きく分けて3つの経路がある。1つ目は、地域企業が企画し自治体に提案する場合、2つ目は市長や自治体職員が地域新電力を企画する場合、3つ目は地域外企業が自治体に提案する場合で、3つ目が特に多いのが実態である。

1つ目の地域企業が企画し自治体に提案する場合、自治体は地域企業のサポートを行う形となり、経営ノウハウを有する地域企業が地域新電力経営にもあたることで、地域主体での地域新電力に発展しやすい。

2つ目の自治体が企画する場合、一般的な実務手順として、自治体は委託先を選定した上で地域新電力設立のための実行可能性調査を行い、実行の目途が立ったら、連携事業者を公募する流れとなる。実行可能性調査の委託先や連携事業者の募集の際には、プロポーザル方式の公募が主に用いられる。実態として、公募では地域外の大手企業からの提案が多くなる。

また、3つ目の地域外企業からの提案の場合も、提案をそのまま議会承認に回すか、プロポーザル方式での公募を挟んで広く提案を募るかの違いはあるにせよ、地域外企業からの提案を受ける形となる。

ここで、一般的な地域外企業の提案は、当該地域外企業が経営を担うとともに、地域新電力の業務の多くを当該地域外企業が受託するものになっている。地域の未来と一蓮托生の地域企業からの提案であれば、地域創生などの共通ゴールを共有でき、それを軸に検討できるが、地域外企業との間にそのゴール設定は難しい。提案そのままにすべて地域外企業に任せると、地域経済循環や「地域の担い手」形成につながらないことも多いため、自治体側としては、地域外企業からの提案も参考に、地域企業を巻き込んで地域主体で地域新電力事業を実施していく必要がある。

地域企業を巻き込む方法として、連携事業者を公募する際に、事業者の地域要件をつけることが挙げられる。現在、新電力事業はそれほど特殊な事業でなくなってきており、県内であればノウハウを持った事業者がいる可能性が高い。地域要件の設定は、事業の目的からしても有効な手段の1つである。

北栄町、琴浦町、湯梨浜町では、鳥取中部地域新電力（仮称）構想についての連携事業者募集に際し、鳥取県中部エリアに本店のある法人を代表法人とし、鳥取県内に本店または支店のある事業者との共同事業体であることなどを要件に設定している。

5　地域貢献を掲げる地域外企業の「責任」

地域貢献を掲げて地域エネルギービジネスを展開する事業者の責任についても言及したい。地域活性化は、基本的には地域の責任で成し遂げられるべきである。一方、地域でのビジネスを展開する地域外企業にもしっかりと事実を伝える責任がある。特に地域エネルギー分野においては、自治体職員をはじめとした地域人材と、コンサルやエネルギー事業者とでは情報の非対称性が大きい。

column

地域インフラ会社による電力販売で地域の稼ぎが増す

地域新電力事業に、ガス会社、地域熱供給事業者、ケーブルテレビ会社、地域の再エネ開発事業者などといった地域インフラ事業者が参入することで地域の稼ぎ拡大が期待できる。地域インフラ会社は地域出資であることが多く、従業員も地域人材のことが多いためである。

他の地域インフラ会社による地域新電力事業の実施は、顧客管理・料金請求・問合せ窓口の一元化など本業と地域新電力事業に一定のシナジーがあることもメリットだ。

実際に、地域のガス会社では既に多くが取次[注4-1]などにより電力販売に参入している。今後、気候変動対策のため、政府により電化が推進されていくであろうことを考えると、ガス会社は将来のリスクヘッジにもなる総合エネルギーサービス会社への転換が必要という背景もある。全国に約2万の地域ガス事業者がおり、その参入ポテンシャルは大きい。

また、全国に約500事業者が存在し、その多くが自治体直営か三セク（合計8割程度）であるケーブルテレビ事業者も、地域経済循環などへの感度は高く、地域新電力事業への参入による地域の稼ぎ向上が期待される。

事業者から自治体に地域新電力を地域活性化事業として提案するからには、単に設立しただけでは地域活性化しないこと、目的達成には地域自らがノウハウを蓄積し持続的に地域で展開していく必要があること、それには地域での覚悟を持った取組が必要であることをしっかり説明する必要がある。また、地域貢献を謳ってビジネスをするのであれば、地域外企業は、事業立上げ時や事業開始数年間に利益回収し、ノウハウを徐々に地域に移していく「ノウハウ提供型のビジネスモデル」としてほしい。

4-3 地域のための地域エネルギー事業とするポイント

これまで地域新電力を中心に考えてきたが、地域エネルギー事業全般について、地域のための事業とするポイントを挙げてみたい。

1 KPIを設定する

埼玉県秩父市が95％出資する秩父新電力は、適切なガバナンスのため、KPI（重要業績評価指標）を設定し経営に反映している。KPIは、経済面を「純利益」、環境面を「CO_2削減（排出係数）」、社会面を

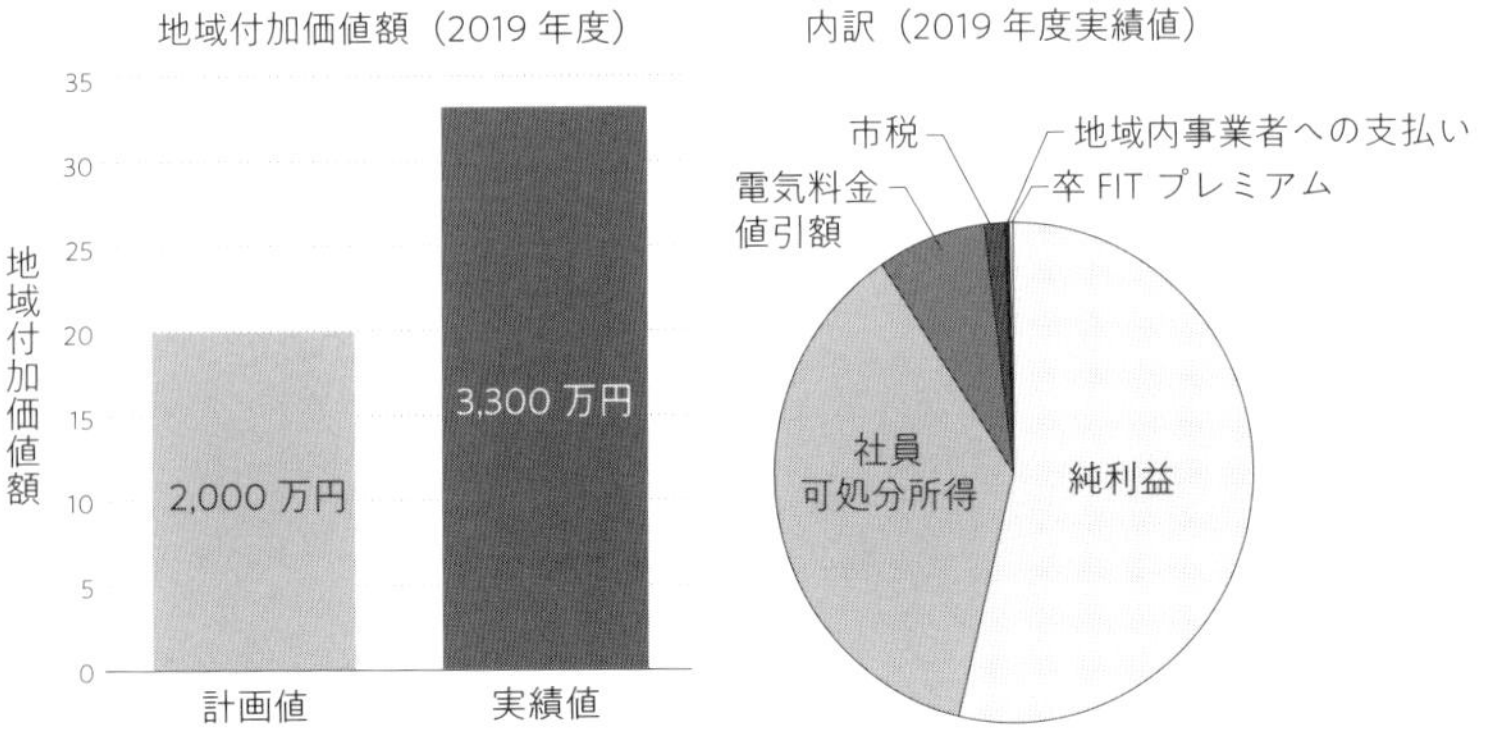

図4·2　秩父新電力の地域付加価値創造分析（秩父新電力による分析）

「地産電源率及び事業による地域付加価値創造額」としている。

秩父新電力は、独自に地域付加価値創造分析を行っており、毎期、計画値と実績値を算出している（２０１９年度の実績値は図４・２）。これを見ると、地域付加価値創造額に占める社員可処分所得の割合が大きく、同社が地域雇用を重視していることが分かる。地域のための地域エネルギー事業とするためには、ＫＰＩに地域の視点を入れて事業運営することが重要である。

2　ノウハウを蓄積する

本書でも繰り返し言及しているが、安易な外部委託を避け、地域でノウハウを蓄積して業務を内製化していくことが、将来の事業展開の幅を広げ、地域の稼ぎを高める。

地域エネルギー事業者はそれぞれの地域で事業展開しているため、競争相手ではなく協力相手となれる存在である。情報やノウハウの共有、共同での事業実施などにより、お互いの競争力を高めあうことができる。また、地域エネルギー事業では、様々な中間支援組織も存在するため、これらを活用し、専門知識やノウハウを地域化することで能力を形成していくことが重要である。

3 地域内に再投資する

前述のひおき地域エネルギーによる小水力発電開発やたんたんエナジーの太陽光発電開発など、地域新電力による再エネ開発への地域内再投資が始まっている。事業利益を地域に再投資したり、新たに資金調達し地域事業を拡大することで、持続的に地域の稼ぎを創出することができる。まちづくり事業一般でもこの地域内再投資は重視される。[注4:2]

4 地域企業の主体的な参画

地域エネルギー会社を立ち上げる際に既存の地域企業が主体的に参画することは、①地域の稼ぎを増す、②意思決定を地域主体とすることに極めて重要である。3-2で示したように、地域新電力では地域企業が主体的に経営に参画すると雇用数や販売電力量の伸び率が高まるといった傾向がある。

また、地域エネルギー会社の立ち上げ時に、地域企業からの人材供給があると事業が円滑に進みやすい。例えば、本章で紹介したひおき地域エネルギーは出資元の太陽ガスが出資から参画し、設立当時は人材の供給も行っていた。地域企業は地域の未来と一蓮托生の企業であり、地域の活性化と自社の成長が一致するため、地域活性化を目指す地域エネルギー会社を発展させるインセンティブが強く働く。

5 地域企業との産業連関を図る

地域エネルギー事業実施に際して、他の地域企業と連携し、地域産業連関を図ることができれば、地域の稼ぎが増す。多くの地域新電力においては、今後の展開として地域での再エネ開発や省エネ事業が検討されているが、これらの事業を地域企業と連携しながら実施することで地域経済循環が高まる。また、再エネ開発においては、地域企業と連携して工事や保守をできるだけ地域で行うことが重要だ。自治体は、率先して地域内企業間の連携のハブとなることが必要である。[注4・3]

6 地域中核企業による実施

地域エネルギー事業で地域の稼ぎを高めるには、地域主体の地域エネルギー会社を設立する方法の他に、地域の中核企業が本業と併せ地域エネルギー事業を実施することも効果的である。

経済産業省は、地域経済を牽引することが期待される企業として「地域未来牽引企業」を発表しているが、これら地域の中核企業が業務を拡充することで、その地域の経済は強くなる。

例えば、地域未来牽引企業にも選定されている須賀川ガス（福島県須賀川市）は、もともとLPガス事業やガソリンスタンド事業などを実施していたが、2015年度から電力販売も開始。ガス販売やLEDレンタルなどと併せ、エネルギーの総合サービスを展開している。

須賀川ガスでは、県内111箇所（2021年9月時点）の太陽光発電を設置しているが、設計・施工・保安業務を自社で内製化しており、地域の稼ぎを取り込んでいる。なお、これら福島県産太陽光発電由来のFIT電気を電源に、地産地消を訴求しながら電力販売を行っており、太陽光発電開発と電力販売の相乗効果も生んでいる。

地域の中核企業の発展は、地域の発展につながる。地域の中核企業が地域新電力にもなることで、本業の顧客基盤強化や収益力向上につながり、結果として地域経済循環が高まるのである。

4-4 重要性が増す自治体職員のノウハウ蓄積

1 自治体職員のノウハウ蓄積や地域ネットワーク形成の必要性

東日本大震災以前、エネルギー政策は主に国の役割だった。しかし、地域分散型である再エネの普及や地域脱炭素化の要請により、自治体の役割が大幅に増している。今後、自治体は、脱炭素計画、地域再エネ目標、ゾーニングなど様々なことが求められるようになってくる。

地域エネルギー事業は、専門性が高くなりがちで、頻繁な制度変更などにも随時対応していく必要がある。しかしながら、税務や福祉など昔からある自治体の業務ではないため、本分野の組織的なノウハウ蓄積はまだ途上である。また、自治体職員は、多くが3年程度で人事異動するため、地域内外の事業者から提案された地域エネルギー事業を正しく評価するだけの知見・ノウハウの蓄積が担当にも幹部にもされにくい構造となっている。

加えて、この短期間の異動は、関係地域企業とのネットワーク形成も阻害する。地域エネルギー事業は、地域企業を的確に巻き込んで実施することが地域経済循環にとってもノウハウの地域化にも重要である。しかし、短期間で異動があると、地域企業と信頼関係を築きつつネットワーク形成し、プロジェクトに巻き込んでいくことは難しい。

2 「自治体業務はルーチンだから異動が必要」なのか？

人事異動は、①同一部門に継続して配属することにより得られる専門性の蓄積の阻害、②経験したことのない仕事を行う際の追加的な訓練費用を発生させるというマイナス面を有しており、組織効率を低下させる側面をもっているとされる。[※4・4] では、なぜ自治体職員の異動は頻繁なのであろうか。自治体人事の先行研究に[※4・5]

よると、自治体の業務は「ルーティン型」であり、ルーチン業務のため、マンネリに陥ってしまうとされており、別の研究では[※4-6]、人事異動の目的に、「マンネリ化によるモチベーション低下の防止」「管理職として仕事を行うための広い見識の習得」が挙げられている。

これら先行研究によると、自治体の業務はルーチン型でマンネリ化するから異動が必要だというのが主な理由となっているが、これは地域新電力を含む地域エネルギー事業の企画・運営には該当しないのではないか。

3 自治体の環境・エネルギー部門に柔軟な人事制度を

地域エネルギー事業を地域にメリットを生むする形とするためには、度重なる制度変更など最新情報を常にキャッチアップしつつ、地域のステークフォルダーと調整しながら地域経済循環を生む事業体制にするとともに、地域課題解決にもつながる形に落とし込んでいく必要がある。そのためには、自治体職員の専門性や地域企業などとのネットワークが不可欠であり、これらの蓄積を重視した柔軟な人事が自治体の環境・エネルギー部門でより重要になってきている。庁内公募制などを通じ、本人の希望・適性も踏まえつつ、事業支援ノウハウや地域企業との人脈が蓄積される人事制度が本分野で拡大することが求められる。

例えば、北海道寿都町は1989年に自治体初の風力発電事業を実施し、基礎自治体直営の風力発電事業としては最大規模を達成しているが、この成功要因として、町長・職員が風力発電事業に長年に亘って関与し、専門知見やメーカーとの信頼関係、人的ネットワークを蓄積していったことが挙げられている[※4-7]。寿都町

講座当日も活発な意見交換がされ、これから事業を検討している方、既に行っている事業の競争力を強化したい方それぞれに好評を得ている。

なお、2022年度以降も同様の事業の実施を予定している。

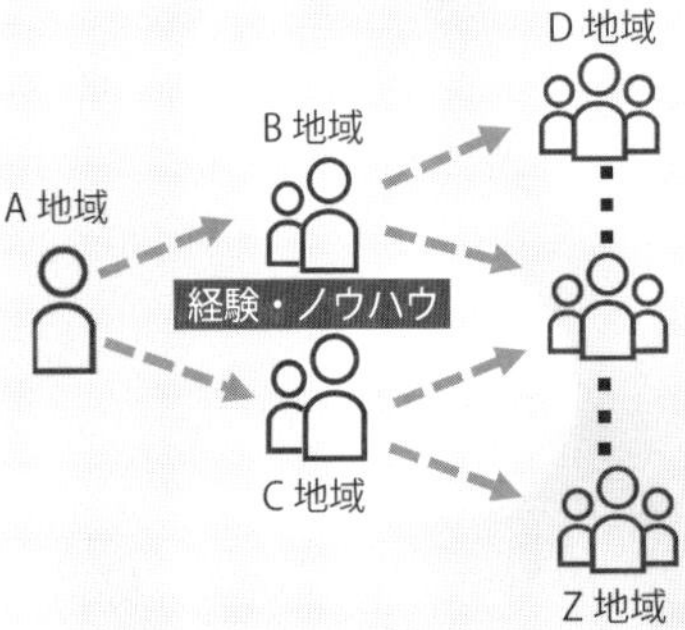

図4・3　地域人材⇔地域人材でのノウハウ共有

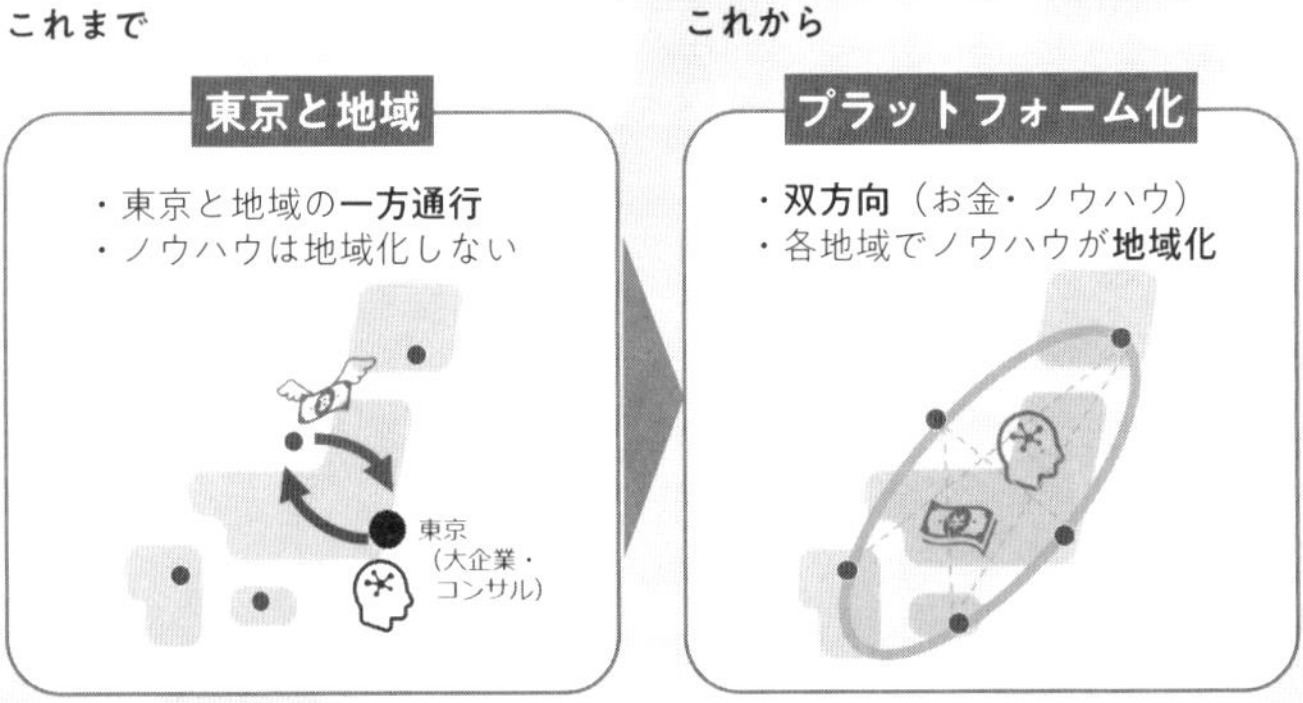

図4・4　ノウハウが地域化するプラットフォーム

column

地域人材の確保・育成

地域エネルギー事業を検討している自治体からしばしば聞かれるのが、地域に事業を行える人材がいない、集まらないという点である。本当にそうなのだろうか。その地域で力を入れようとしている新しい事業の担い手を募集するのに、賃金・待遇など募集条件が十分でないこともあるようだ。地域として力を入れる事業であれば、地域の賃金相場などにこだわらず、思い切って条件を見直すことも必要になってくる。

一定の待遇で責任あるポジションでの募集であれば、大手企業でなかなかチャレンジ機会がない若手などにとって十分魅力的に映る。東京などの大都市の優秀な若者が、使命感とやりがいを求めて、地域貢献にもなる地域エネルギー事業を担っていく流れがでてくることが望まれる。

なお、筆者が所属するローカルグッド創成支援機構においては、2021年度に再エネ事業の地域人材を育成する事業を実施した。これまでの地域エネルギー事業は、ともすると東京のコンサルタントや事業会社が地域にやってきて事業を実施し、事業収益や事業運営に必要な資金も東京に行ってしまう構図が散見された。これでは、地域にノウハウが蓄積されず、地域人材も育成されない。

そこで、既に地域主体で地域エネルギー事業を展開している地域人材に委託し、他の地域人材にノウハウを移転してもらう連続講座・個別相談会を開催した。これまでの東京→地域という一方通行ではない、地域から地域へノウハウもお金も循環させる試みである（図4·3、4·4）。10日間の連続講座には、170名以上の申込があり、

では、事業の収支計画などもコンサルタントに依存することなく、事業シミュレーションもメーカーに助言を仰ぎながら町の職員らで実施していたという。職員の知見・ノウハウ蓄積、そして当事者意識の高まりが、事業の成功につながっている。

4 調査・計画策定は外注ばかり？

自治体が行う環境エネルギー分野の調査・計画策定は、私の知る限りほとんどがコンサル事業者などに外注されている。例えば、温対法に基づく実行計画策定も、地域の再エネポテンシャル調査、地域のCO_2排出量推計、自治体における再エネ普及政策・CO_2削減施策の提案などすべて委託業務の内容に組み込まれ外注される。

委託すれば自治体の負担がなくなるかというとそうでもない。委託するには仕様書を作成して、入札手続きまたは総合評価でのプロポーザル方式の公募にかけ、事業者が決まったら委託手続きをして、委託業務期間中は適宜進捗を管理し、委託終了後は検収手続きをしなければいけない。国からの補助金で委託費を出すことも多いため、これに国への申請（提案書の作成・決裁）、審査の過程でのやりとり、国への成果物の納品や補助金関連の経費資料などの提出…と、委託するだけでも一仕事なのである。

課題に感じるのは、自治体担当者が、こういった委託のための手続き事務に時間をとられ、肝心の地域エネルギー事業の知識や考え方を学ぶ時間がとれないこと、学ぶ機会が創出されないことである。

また、委託する場合、自治体担当者の情報源は委託先事業者のみになることが多い。自治体において自身で手を動かさないためにエネルギー事業の知見が溜まらず、委託先が提出してきた成果物のクオリティを検証、判断できないことも散見される。

そして、知見が溜まらないため、何をするにも委託になってしまい、そのたびに国に補助金申請して、委託手続きをして、時間をとられて、学ぶ時間がなくなるといった負のループになりつつある。自治体に知見やノウハウが溜まらないと、地域エネルギー事業の地域にとっての重要性や関心も高まらない。それゆえ、委託で調査・計画策定をするものの、その計画は再エネや省エネを推進するといった抽象的な文言が並んぶだけで、自治体が何をするかほとんど書かれていないということも目にする。これでは何のために多額の税金と職員の時間をかけて計画を作ったのか分からない。

5 委託より人材育成

こういった委託依存を少しでも脱するためには、自治体の環境エネルギー部門の職員の人材育成が重要である。少し分野は違うが、まちづくりについて多くの問題提起をしている木下斉氏の『まちづくり幻想』(SB新書)が言及している岩手県紫波町の事例を紹介したい。紫波町では、住民向け政策説明の際の住民ワークショップを外注して実施していたが、外注をやめて、職員にワークショップ研修を受けさせたうえで、直接実施することにした。その理由は、①外注では毎年外注費を出し続ける必要があり、回数も限られること、②職員を研修に行かせて内製化すれば、研修費は1回のみで外注費よりずっと安くなること、③その後は自分たちでワークショップの企画を仕掛けられるようになることが挙げられた。さらに、毎年繰り返し実施することにより、職員が外部からも評価される人材になって、講師としてよばれたり、周辺自治体からアドバイスを求められたりするようになり、仕事へのプライドが高まり、業務品質も上がるというのである。これは、元自治体職員の私自身も同書を読みながらとてもうなずいた部分だ。

3年程度で他部署への異動を繰り返す自治体職員は、専門性も深まらず、仕事へのプライドが高まりにくい構造がある。そして、特定の業務をやりたい、何かを成し遂げたいといったモチベーションが沸きにくい構造になってしまっている。仕事へのプライドが高まり、業務の質も上がる自治体人事の仕組みが必要である。

6　東京都庁の人材育成

私の元職場の東京都庁環境局の人材育成の事例を紹介したい。東京都環境局でも他の日本の自治体同様に2～3年ごとに職員の異動が行われるが、関連する部署への異動も多い。また、特徴として挙げられるのは、ボトムアップでの施策立案の機会が多いことである。これは職員の政策立案能力を引き上げにつながっている。例えば東京都においては、次年度の事業を検討し予算要求を行う際、若手を含め様々な役職、そして様々な職種（電気などの技術職、事務職など）が混じっての議論が行われる。多様なバックグラウンドを持つ職員によるボトムアップでの議論が推奨されている。

column

自治体の仕事は計画策定ばかり？

本節では自治体の環境エネルギー分野の調査・計画策定のほとんどが外注されていることを指摘した。また、自治体は計画を策定して終わりで、肝心の地域エネルギー事業実施までたどり着かない、手が回らないといったことも多い。これには、自治体が策定しないといけない計画が多すぎるという背景もある。自治体が策定を義務付けられた計画は2018年4月時点で200を大きく超えており[注4・4]、2000年以降、環境分野をはじめ一段と増加傾向にある。中小規模の自治体にとっては、手が回らないというのが実情だろう。

また、自治体の関心は計画づくりばかりで事業実施が軽視されがちという印象も受ける。優秀とされる職員が計画づくりを担当することが多いし、調査や計画づくりに時間が費やされ、肝心の地域での具体的な取組（例えば、再エネ開発であれば、自治体の遊休地で再エネ事業を計画したり、地域事業者を巻き込んで事業を計画するなど）までなかなかたどり着かない。

計画策定は必要な業務だが、できるだけ合理的に省力化し、具体的な事業の実施に結びつけることが重要ではないか。

さらに都では、職員の政策・事業立案能力を育成するため、海外先進都市へ調査機会が提供されている。この制度では、職員自らの意思により、都政の課題と調査テーマを設定し、海外調査の希望を出せる。庁内の選考を経て採択されれば、海外先進都市における現地ヒアリングなどの調査機会を得ることができる。意欲のある職員の政策形成能力を向上させるとともに、海外先進都市の施策を東京都の実情に合わせて都政に反映する狙いもある。

予算も人員も分厚い東京都だからできるのかもしれないが、ボトムアップでの政策議論や、自主的な調査・研修の機会提供など、他の自治体にも参考になるのではないだろうか。

注釈

注4・1　小売電気事業者のライセンスを持たず、小売電気事業者の取次店として小売供給契約の締結の取次業を行う。

注4・2　例えば、岡田（2005）は、「地域における毎年の生産と生活の再生産の維持・拡大を可能とするような地域内で繰り返される投資」を「地域内再投資」と定義した上で、長野県栄村や大分県湯布院町などの内発的発展研究を通し、「地域経済の持続的な発展を実現しようというのであれば、その地域において地域内で繰り返し再投資する力＝地域内再投資力をいかにつくりだすかが決定的に重要である」とし、地域内資金循環を拡大する「地域内再投資力」の重要性を論じている。

注4・3　宮本（1989）は、「産業開発を特定業種に限定せず、複雑な産業部門にわたるようにして、付加価値があらゆる段階で地元に帰属するような地域産業連関を図ること」を地域開発における内発的発展の原則に挙げている。また、岡田（2005）は、地域内産業連関を再構築し、地域内経済循環を作り出すとして、地域主体のネットワーク化を

推奨し、金（2010）も岡田（2005）を引用しながら、イタリアの新産業地区や日本の大田区の事例を紹介し、地域の企業が相互ネットワークを組んで「横請け関係」を作り出せば相互取引の中で仕事とお金が回転し、雇用効果も税収効果も高まるとしている。

注4・4　今井（2018）は、法律検索サイトを活用して、法律で市町村に策定が求められている計画をピックアップしており、2018年4月時点で229計画に上っていることを報告している。また、同研究では、2000年頃から計画数が増加している理由として、90年代後半の地方分権改革により、国の府省が自治体の行政組織をダイレクトに利活用することが（少なくとも法制度上は）できなくなり、国が望む政策を自治体に執行させるためには、法律によって、それが自治体の仕事であることを定める必要が生じたため、計画策定はその触媒として多用されていると指摘している。

参考文献

※4・1　ラウパッハ スミヤ ヨーク・中山琢夫・諸富徹「再生可能エネルギーが日本の地域にもたらす経済効果」『再生可能エネルギーと地域再生』125～146頁、2015年
※4・2　小川祐貴・ラウパッハ スミヤ ヨーク「再生可能エネルギーが地域にもたらす経済効果―バリュー・チェーン分析を適用したケーススタディ」『環境科学会誌』31⑴、34～42頁、2018年
※4・3　Raupach S. J,“Measuring Regional Economic Value-Added of Renewable Energy：The Case of Germany”『社会システム研究』第29号、1～31頁、2014年
※4・4　八代充史「大企業ホワイトカラーのキャリア」『日本労働研究機構』15～16頁、1995
※4・5　中嶋学・新川達郎「地方自治体におけるキャリア形成―「ヨコ」のキャリア形成に焦点をあてて」『同志社政策科学研究』第9巻第1号、2007年

※4・6　中嶋学「地方自治体における異動と人材育成に関する考察」『同志社政策科学研究』第3巻第1号、2002年
※4・7　北風亮「域資源を活かした自治体電力事業の現状と可能性」学位審査論文、2019年

その他の参考文献

・諸富徹『入門地域付加価値創造分析』日本評論社、2019年
・宮本憲一『環境経済学』岩波書店、1989年
・岡田知弘『地域づくりの経済学入門―地域内再投資力論』自治体研究社、2005年
・今井照「「計画」による国―自治体間関係の変化―地方版総合戦略と森林経営管理法体制を事例に」『自治総研』477号、53～75頁、2018年

補論　地域が稼ぐまちづくり事業のポイント

これまで、地域エネルギー事業を中心に議論してきたが、最後に補論として、まちづくり事業全般について、地域が稼ぐためのポイントを検討してみたい。地域エネルギー事業はまちづくり事業の一部であるため、これらのポイントは地域エネルギー事業への示唆も多い。

ここではまず、これまでのまちづくり事業の失敗を振り変える。続いて、まちづくり事業の中で、特に近年注目を集めている特徴的な取組である「まちやど」と「地域マーケット」の事例をもとに地域付加価値創造分析を行い、最後に地域が稼ぐまちづくり事業のポイントについて考えたい。

1 これまでのまちづくり事業の失敗

地域活性化を目的とした事業を実施したけれど、実は地域にあまりお金が落ちず失敗してしまう事例は、昔から繰り返されてきた。少し過去にさかのぼると、昭和40年代の工業団地を造成しての工場誘致もその1つだ。大阪府の海岸を埋め立て建設された堺・泉北コンビナートを対象にその地域経済効果などを実証した研究[※5-1]を紹介したい。地域活性化の大事業として期待されたこの事業は、NO_xなどの汚染物質が排出され工業用水などで地域資源が使われた半面、地域経済効果や税収面への寄与度は期待を裏切るものであったことが明らかとされている。その理由としては、装置産業であり雇用をあまり生まなかったこと、発生した雇用も従業員の大多数が配置転換によって転勤した他の地域出身だったこと、工場生産に伴う利益は、地域外の本社に流れてしまったこと、原料などの現地供給が少なかったことなどが挙げられている。

このような外発的な開発は、①投資決定など経営戦略の意思決定が地域に生まれず、地域外の本社からのコントロール下におかれるもので地域に技術蓄積をもたらすものではないこと、②地域内で関連産業を育て、既存の地元企業と結びつく地域内産業連関が弱いこと、③経営環境の変化に対応する適応力やイノベーション力が形成されないことなどが指摘されている[※5-2]。

昭和で経験した地域政策の失敗の大きな原因は、他都市の大手企業に来てもらい地域を活性化してもらうという他力本願の要素が強い点である。しかし、この失敗は平成に入ってからも繰り返された。地域でメガソーラーが整備されても、地域外企業が出資・建設したものであるため地元には固定資産税と地代くらいしか入らないといったものや、まちづくり事業を大手コンサルや大手広告代理店に頼ってしまい、結局地域にお金は落ちず、東京の会社が儲かるだけだったという事例である。

令和のまちづくり事業では、こういったこれまでの失敗を繰り返してはならない。そこで、次節において、まちづくり事業として「まちやど」と「地域マーケット」の事例をもとに、地域付加価値創造分析による「地域の稼ぎ」分析結果を紹介しながら、「地域の稼ぎ」を増やすための考え方について検討してみたい。

2 まちづくり事業による地域の稼ぎを分析

1 地域全体をホテルに見立てる「まちやど」

「まちやど」とは、地域の空き家をリノベーションして客室にし、地域全体をホテルに見立てた新たな運営形態の宿泊施設である。

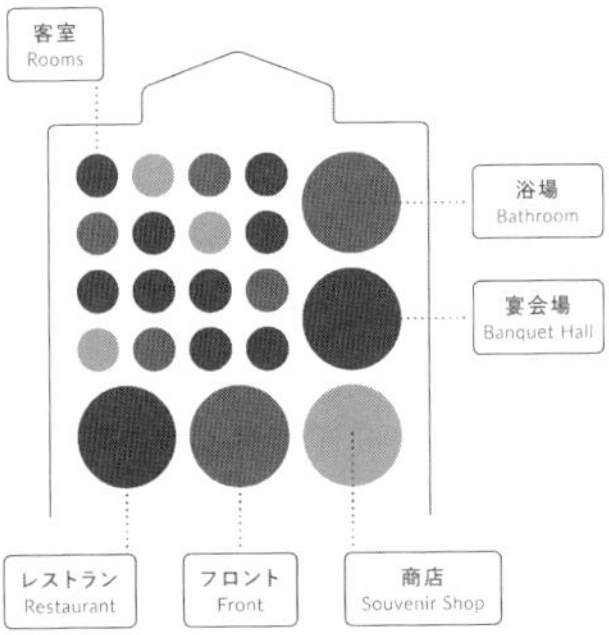

図5・1　従来のチェーンホテルのイメージ図

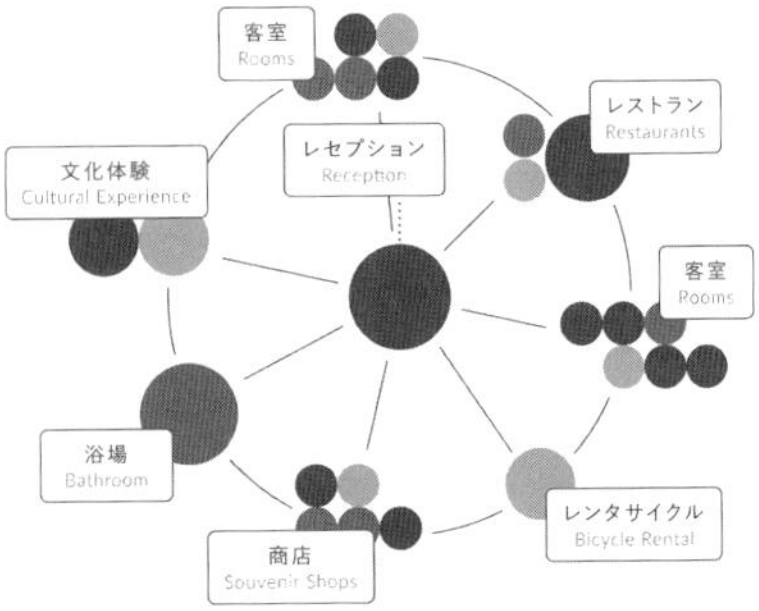

図5・2　「まちやど」のイメージ図

（出典：一般社団法人日本まちやど協会ウェブサイト）

従来のチェーンホテルは、浴室が完備され、レストランや土産物屋なども内包されていることが一般的であり、ホテルで旅行客を抱え込むため、旅行客の消費は地域に循環しづらい。さらに、地域外資本でホテルが経営されている場合には、事業利益は株主配当などの形で地域外に流出してしまう。一方で、「まちやど」は、地域内に受付機能を配置し、旅行客に対し地域の食堂、銭湯、小売店（土産屋）及び文化体験などの利用を促す（図5・1に従来のチェーンホテルのイメージ図、図5・2に「まちやど」のイメージ図を示す）。宿泊施設で旅行客を抱え込まず、地域全体で旅行客をもてなすため、「まちやど」は、地域経済効果が高いとされている。

Bed and Craftのコンセプト

木彫刻の町である富山県南砺市井波地区のBed and Craftは、「職人に弟子入りできる宿」をコンセプトに、㈱コラレ・アルチザン・ジャパン山川智嗣代表が中心となり開業した「まちやど」だ（2020年12月現在6棟で事業展開）。宿泊客は、職人から直接講習を受けながら工房で木彫りのスプーンなどを製作できる。また、宿はギャラリー

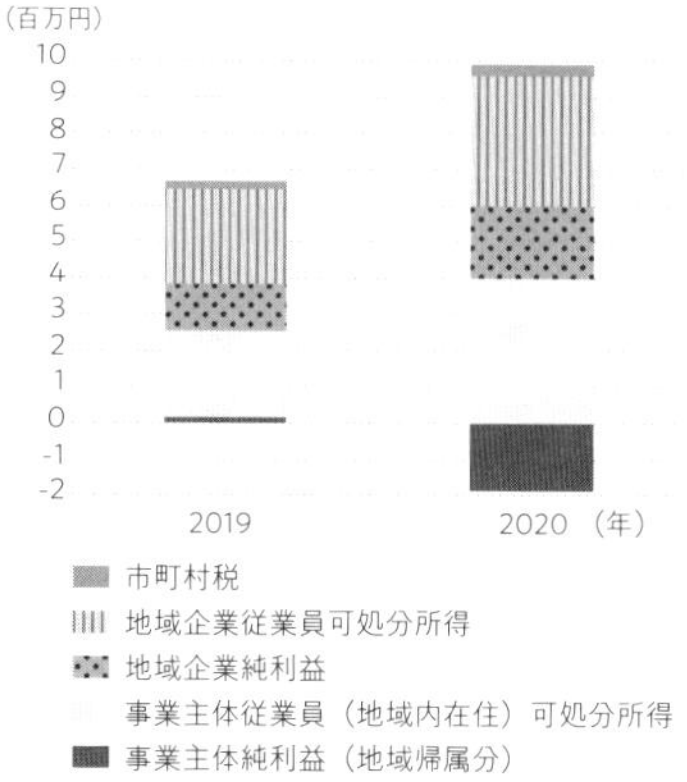

図5・3　Bed and Craftの地域付加価値

の機能を持っており、宿泊料の一部が作品のリース料として職人に還元される（宿泊客が気に入れば作品の購入も可能）。

井波地区には120軒近くの彫刻工房などが軒を連ねるが、近年では工房数も減少してしまい、井波彫刻の認知度も低下していた。また、井波地区には、観光名所「瑞泉寺」があるが、旅行客は瑞泉寺のみを見学して車・バスですぐに別地域へ移動してしまっていた。その結果、地域での滞在時間は短く、地域での消費も少なかった。これらの背景・問題認識のもと、Bed and Craftによって地域での滞在時間・消費を増やすとともに、井波彫刻・工芸の認知度向上が目指された。

Bed and Craftによる地域の稼ぎが高い理由

地域付加価値創造分析の結果、Bed and Craftによる「地域の稼ぎ」は、2019年は約670万円、2020年は約810万円となった（図5・3）。新型コロナ感染拡大の影響で、2020年のBed and Craft単独での事業収益は赤字となってしまったが、その一方で、宿泊棟の増加などにより宿泊者数が増えたことで宿泊者の地域での消費が増し、「地域の稼ぎ」自体は大きく増加した。単体事業では赤字になってしまったが、地域の稼ぎは増やしたというかなり興味深い結果となった。

また、地域付加価値を押し上げている要素としては、①宿泊者の8〜9割が地域で飲食・買い物を行うこと、②宿がギャラリーの機能を持っており、宿泊料の一部が作品のリース料として職人に還元されること（宿泊客が気に入れば作品の購入も可能）、③地域職人へのワークショップ委託がされていることなどが挙げられる。

「木彫刻の町」という地域の特徴と宿をつなぎ、彫刻工房ワークショップ体験など「職人に弟子入りできる」という滞在するに足る付加価値を出したことで、交通の便が良くないことが逆に活かされ、宿泊者の地域への滞在・消費につながっている。また、職人の継続的な活動を下支えし、宿泊客を工芸の新たな顧客として掘り起こすという、地域付加価値には算定されない定性的な効果もあると考えられる。

地域に稼ぎを生む「まちやど」

従来型のチェーンホテルはホテルに多くの機能が内包され旅行客を抱え込む傾向があり、地域外資本で経営されていることが一般的で、事業利益は株主配当などの形で地域外に流出してしまう。従業員も地域雇用の割合が高いとは限らず、給料も地域外に出ていくことになる。単に旅行者が地域を訪れて宿泊しさえすれば地域が豊かになるのではないことが分かる。地域ぐるみでもてなし、地域経済循環を高める「まちやど」のコンセプトは、様々なまちづくり事業にも示唆を与える。

2 魅力ある地域店舗が出店する「地域マーケット」

地域の人が公園に出店する

図5・4　Yanasegawa Marketの様子（2018年10月28日）

埼玉県志木市の館近隣公園では、数か月に1度、地域マーケット「Yanasegawa Market」が開催される。普段は何の変哲もない公園が、マーケットがある日は大勢の人が集い活気づく（図5・4）。

このYanasegawa Marketは、主に地域の店舗・個人で構成された約30店舗が出店し、10時〜14時までの4時間の開催で来場者数は約1400人になる。販売されているものは、パン・野菜などの食料品、ハンドメイド雑貨、ミニ盆栽、絵本など多岐にわたる。サービスでは、マッサージや似顔絵などもある。一方、お祭りなどでよく見るコテコテの屋台は1つもないことに気づく。本マーケットが、地域性や公園本来の魅力を活かしたデザインを重視しているためだ。出店者のほぼすべてが、この地域に居住しているか店舗を構えており、地域主体の構成になっている。販売者は若い人が多く、本業の人、副業でやっている人、趣味的な人、バックグランドも様々である。

Yanasegawa Marketによる地域の稼ぎ

2018年10月28日に開催されたマーケットでは、全店舗の延べ購入者数は約1500人、総売上金額は約112万円であった（各店舗へのアンケートにより集計）。30店舗4時間の開催での売り上げとしては少なくない。

「地域の稼ぎ」を分析の結果、この日のマーケットによる売り上げのうち、およそ半分の約60万円が地域の稼ぎとして地域で回っていることが分かった。試算では、地域マーケットは、地域外出資の郊外ショッピングモールと比べて、同じ売上金額で比較すると約6倍の地域の稼ぎを生み出すことが分かった（図5・5）。

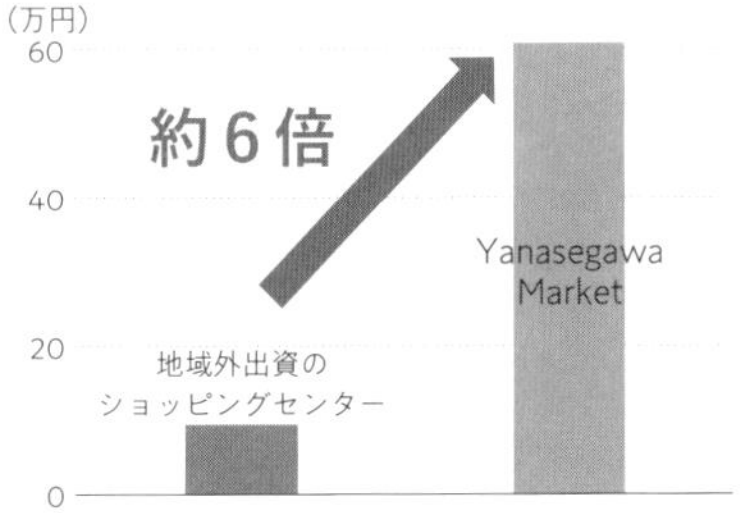

図5・5　地域マーケットはショッピングセンターより約6倍地域の稼ぎを生む

ショッピングセンターは一般的に地域外出資であることがほとんどであり、商品は広域店舗での一括調達が一般的であるため、出店立地地域に同様の地場商品があっても個別店舗ごとに当該地場商品が調達されることは少ない。事業利益が地域外に流出してしまうとともに、地域調達による地域経済循環も起こりにくい。地域で同じ売上額を計上しても、それに伴う地域の稼ぎは大きく異なるのである。

3　地域資源の活用と地域人材による実践が「地域の稼ぎ」を増やす

まちやどと地域マーケット事業の2つのまちづくり事業について、地域の稼ぎに主眼を置いて紹介してきた。これら2事例に共通しているのは「地域の資源が十分に活用されていること」そして「地域人材が実践していること」である。

地域資源の活用については、まちやど事業は、地域の魅力がそのままホテルの魅力になるため、地域の魅力をいかに発掘して発信するかが重要となる。地域マーケット事業も、地域の中核となる公園を洗い出し、地域内の店舗などから魅力ある出店者を募ることが重要になる。Yanasegawa Marketにおける出店者募集では、マーケット全体の魅力を高めることのできる地域の出店者（地域の魅力を伝えられる出店者）に直接出店交渉が行われている。

次に、地域人材による実践については、Bed and Craftの山川氏も、Yanasegawa Marketを主催する鈴木氏ももともに地域人材であり、自ら先頭にたって事業を展開する。また、Bed and Craftでは、彫刻家や地域の店舗と連携するが、それぞれが地域の実践者である。Yanasegawa Marketの出店者も皆地域の実践者だ。実践者が有機的に結びつくことで、事業利益が地域人材である実践者に循環し、地域全体の稼ぎを生み出している。

加えて、これら既存の地域資源が活用された地域人材による取組は、従来型の大型開発と比べて極めて

「低リスク」であるという点も付け加えたい。従来型のホテルもショッピングモールも、ニーズを読み間違えればオーバースペックになってしまうし、開設当初は賑わっても建設後に人口減少や競争相手の出現などで顧客数が減れば事業の存続は危うくなる。一方、空き家を活用したまちやどは、そもそも宿泊室となる施設が地域にあるため大規模な整備を必要としないし、顧客数を踏まえた客室増設（空き家のリノベーション）ができ、スモールスタートも可能だ。地域マーケットについても、マーケットは仮設であり場所の変更も可能なため、規模やニーズに応じてその姿を柔軟に変えることができる。

今後のまちづくり事業は、地域資源が活用され、地域人材が実践し、柔軟で、そして「地域の稼ぎ」がしっかり生まれる事業とすることが重要である。

ここでは「まちやど」と「地域マーケット」を事例に、地域の稼ぎを増やすポイントとして、「地域資源の活用」と「地域人材の実践」を挙げたが、これらは当然ながら地域エネルギー事業にも当てはまる。

再エネ開発を行う場合には、日射量、風況、バイオマス賦存量など再エネ種別ごとに地域資源がどれくらいあるかを見極めて活用する必要があるし、地域新電力を行う場合は、その地域に地域ガス会社やケーブル会社といった地域インフラ企業と連携するといった「地域資源」の活用が重要になる。その地域を深く理解し、地域資源を見出して事業展開することが必要だ。

また、本書では再三にわたっての記述となるが、地域に稼ぎをもたらす地域エネルギー事業とするためには、地域人材自ら事業を実践することによって地域に循環するお金を増やし、さらに事業ノウハウを地域で蓄積していくことが重要である。これは地域エネルギー事業を含めたどのようなまちづくり事業であっても同じである。

地域資源が活用され、地域人材によって実践された地域エネルギー事業が、全国で持続的な地域発展をけん引していくことを願わずにはいられない。

参考文献

※5・1　中村剛治郎『地域政治経済学』有斐閣、2004年
※5・2　宮本憲一・横田茂・中村剛治郎『地域経済学』有斐閣、1990年

その他の参考文献

・稲垣憲治「地域経済効果を高めるまちづくり事業の運営形態―「まちやど」を対象とした地域付加価値創造分析の適用」『地域活性研究』Vol. 14、39〜44頁、2021年

おわりに

私が地域でのエネルギー事業を考えるきっかけとなったのは、東京都職員として東京の再生可能エネルギー普及を担当したことがきっかけです。2012年当時、東日本大震災直後の国のエネルギー政策の見直しが行われる中、全国的に地域でエネルギーを考える機運が急速に高まっていた時でした。当時の東京都の環境局は、良いことは新しいことでもどんどんチャレンジしようといった雰囲気があり、様々な施策を提案できる土壌がありました。

また、都には当時、調査企画が通れば、3か月間海外都市に単独で調査に派遣してもらえる制度がありました。それに応募し、ドイツ、デンマーク、イギリス、フランス、アメリカの5国10都市をみっちり単独で調査する機会を得ることができ、地域エネルギーの奥深さ・面白さに心酔してしまいました。日本の自治体の環境施策を海外都市と相対化することができ、自治体の環境施策のアイデアがどんどん生まれ、3か月間、ヒアリングしては日本・東京に導入できたらと毎日わくわくしてたのを鮮明に覚えています。

この海外調査において、ドイツの各都市のシュタトベルケも調査・ヒアリングをし、当時日本で黎明期だった地域新電力に没頭するきっかけとなりました。そしてこれらの調査において、地域エネルギー事業が地球温暖化防止のためのみならず、地域創生の役割を強く期待されていることに気づき始めます。

特に、ドイツのアーヘンの地での調査は思い出深いです。日本で再エネが認知される遥か昔の1995年に、ドイツのアーヘン市では条例により電気料金を1％値上げし、それを原資に、アーヘンのシュタトベルケが固定価格で再エネ電気を買い上げることを保証しました。「アーヘンモデル」と呼ばれたこのモデルは、FITの原型となり、後のドイツのFIT、そして世界のFITにつながったと言われています。自治体とシュタトベルケの取組が、世界の再エネをけん引した事例です。当時のアーヘン市やシュタットベルケの担当者とも意見交換をしましたが、市とシュタットベルケとの有機的な連携が印象深かったのを覚えています。そして、このアーヘンモデルに倣えば、日本の地域新電力でも将来的に①地域新電力が非FIT再エネを発電事業者と長期契約したり、自身で開発したりして再エネを地域に増やし、②その再エネを地域に供給し、③地域需要家がそれを選ぶといった形で、FIT終了後の再エネ拡大を牽引する姿を妄想しました（8年ほどが経ち、地域新電力がその姿に少しずつ近づいていると思います）。

調査後、都から出向していた東京都環境公社において、さっそく地域新電力事業を提案しました。民業圧迫の観点などが懸念され、自社施設のみの供給にとどまったものの、新電力の立ち上げから運営までを経験できたことは今でもとても役立っています。

その後、2017年2月には京都大学大学院の諸富徹教授のもとに押しかけ、研究プロジェクトに入れていただき、業務時間外にも地域新電力の地域経済効果などについて研究を開始しました。この研究をはじめた理由は、当時、地域活性化などを目的に地域新電力がどんどん設立されていたのですが、内情は、従業員もゼロで地域外事業者にすべて業務丸投げと思われる地域新電力が目立っており、自治体が目指す目的と地域新電力の運営方法という手段がずれているのではないかと危機感を抱いたためです。地域新電力の運営方法の違いによって、地域の稼ぎが大きく変化することを定量的に示したかったのです。突然押しかけた私を受け入れていただき、ご指導いただいた諸富先生に厚く御礼申し上げます。

東京都には主に環境局で10年間過ごしましたが、気候変動対策や再エネ推進の意義・奥深さ、仕事の面白さを教えていただいた当時の諸先輩方には深く感謝しています。また、通常は2〜3年の異動のところ、私の希望を踏まえ、8年間も部署は変われど再エネを担当させていただいた東京都の懐の深さに感謝したいです。

ローカルグッド創成支援機構の青山前事務局長（現理事）には、どっぷりと地域エネルギーの世界に飛び込むチャンスをいただき人生を変えていただきました。ローカルグッドの会員の皆様、理事・執行委員・事務局の皆様には、いつも親身になって助けていただいています。皆様のご協力なくして本書はできていません。改めて厚く御礼申し上げます。

また本書は、元になる企画書を２０１６年に学芸出版社の中木氏に持ち込んだことが始まりです。当時は出版に至りませんでしたが、丁寧で、そして温かいアドバイスをいただいたことを覚えています。６年を経て、本書を中木氏に編集いただき、学芸出版社から出版できたことを、とても嬉しく思います。改めて厚く御礼申し上げます。

そして、本書の発行及び本書のもととなった研究にあたっては、公益財団法人トヨタ財団２０１８年度研究助成プログラム及び一般財団法人第一生命財団２０２０年度研究助成にご支援いただきました。改めて謝意を表します。

最後に、地域新電力・再エネ・まちづくりへの思いが高じ、40歳目前にして公務員から転職するという挑戦を許してくれ、幼い子どもが3人もいる中、本書を執筆するため、年末年始や休日に時間を与えてくれた妻にはもう頭が上がりません。本当にありがとう。

稲垣憲治

注：本書は、京都大学大学院における研究や業務経験などをもとに執筆していますが、本書内容の文責は筆者にあり、所属する団体の見解を示すものではありません。

注：本書の一部は、筆者の次の寄稿文をもとに編集したものを含みます。

〇日経エネルギーＮｅｘｔ

・地域新電力による地域活性化の条件（２０２０年2月5日掲載）
・自治体で拡大の兆し、太陽光発電と再エネ電力の「共同購入」（２０２０年8月13日掲載）
・地域新電力に住民監査請求を受けた生駒市の本気（２０２０年10月15日掲載）
・地域新電力の雄、みやまスマートエネルギーの混乱と再起への道のり（２０２１年６月９日掲載）
・地域新電力は市場高騰をどう乗り越える？　先進事例に見る対策とリスク（２０２１年８月６日掲載）

〇環境ビジネスオンライン

・日本初の自治体新電力、中之条電力の今（２０２０年10月5日掲載）
・地域課題を深掘りして競争力に―岐阜県多治見市たじみ電力の思い（２０２１年7月8日掲載）
・地域新電力を検討する―三セクのトラウマ編（２０１８年2月5日掲載）

〈著者略歴〉

稲垣憲治（いながき　けんじ）

1981年愛知県生まれ。東京大学大学院修士課程修了。京都大学大学院博士後期課程研究指導認定退学。文部科学省、東京都庁を経て、地域活性化や地域脱炭素への思いが高じ、2020年から一般社団法人ローカルグッド創成支援機構事務局長。これまで自治体の再エネ普及施策企画、地域新電力の設立・運営などに従事。現在は、地域新電力の価値向上に全力で取り組んでいる。また、京都大学大学院において「地域新電力×再エネ×まちづくり」の研究活動も行う。環境省、経産省、川崎市、練馬区等の各種検討会等委員、総務省地域力創造アドバイザーなどを歴任。

地域新電力
脱炭素で稼ぐまちをつくる方法

2022年7月10日　第1版第1刷発行
2023年9月20日　第1版第2刷発行

著　者　稲垣憲治

発行者　井口夏実
発行所　株式会社学芸出版社
京都市下京区木津屋橋通西洞院東入
電話075-343-0811　〒600-8216
http://www.gakugei-pub.jp
Email　info@gakugei-pub.jp
編集担当　中木保代

装　丁　美馬　智
編集デザイン　梁川智子
印　刷　イチダ写真製版
製　本　山崎紙工

ISBN978-4-7615-2820-1　Printed in Japan